Collection « Azimuts »

Anatomie d’un suicide et autres mensonges

azimuts | roman

Marie GINGRAS

ANATOMIE D'UN SUICIDE
ET AUTRES MENSONGES

Catalogage avant publication de Bibliothèque et Archives nationales du Québec et Bibliothèque et Archives Canada

Gingras, Marie, 1955-

Anatomie d'un suicide et autres mensonges

(Azimuts. Roman)

ISBN 978-2-89537-155-7

I. Titre. II. Collection.

PS8613.I529A82 2008 C843'.6 C2008-941626-0
PS9613.I529A82 2008

Nous remercions le Conseil des Arts du Canada de l'aide accordée à notre programme de publication. Nous reconnaissons l'aide financière du gouvernement du Canada par l'entremise du Programme d'Aide au Développement de l'Industrie de l'Édition (PADIÉ) pour nos activités d'édition. Nous remercions également la Société de développement des entreprises culturelles ainsi que la Ville de Gatineau de leur appui.

Dépôt légal — Bibliothèque et Archives nationales du Québec, 2008
Bibliothèque et Archives Canada, 2008

Direction littéraire: Jacques Michaud

Éditions Vents d'Ouest
185, rue Eddy
Gatineau (Québec)
J8X 2X2
Téléphone: (819) 770-6377
Télécopieur: (819) 770-0559
Courriel: info@ventsdouest.ca
Site Internet: www.ventsdouest.ca

Diffusion au Canada: PROLOGUE INC.
Téléphone: (450) 434-0306
Télécopieur: (450) 434-2627

Diffusion en France: Distribution du Nouveau Monde (DNM)
Téléphone: 01 43 54 49 02
Télécopieur: 01 43 54 39 15

À mes parents

... écrire est une forme de mensonge.
C'est-à-dire de fiction, de hâblerie,
de mystification. Simplement
parce qu'on ne peut pas tout dire.

Robert LALONDE

Ottawa, le 3 mai 2007

JE NE SAIS PAS pourquoi vous lisez ces lignes. Peut-être êtes-vous affligé de ce mal curieux, assez répandu chez les humains malgré sa presque totale futilité, qu'est le désir de comprendre. Peut-être avez-vous ramassé ce carnet dans un de ces gestes automatiques qui nous entraînent parfois dans une direction quelque peu surprenante jusqu'à ce qu'on se demande tout à coup ce qu'on fait là. Peut-être regrettez-vous déjà cet élan et vous préparez-vous à l'interrompre aussitôt. Au fond, peu importe. Peu importe le pourquoi de votre geste et peu importe le pourquoi du mien, d'autant plus qu'il est déjà posé et que tous les pourquoi du monde n'y changeront rien.

Je veux tout de même vous avertir, pas autant par sympathie puisque je ne vous connais pas, mais plutôt par une certaine rigueur, de ne pas vous attacher à moi. Je sais, cela peut sembler prétentieux de croire que vous pourriez si facilement vous attacher comme ça, juste parce que vous passez quelques minutes ou quelques heures à me lire, et ce serait bien mal me connaître que d'imaginer, d'une part, que je suis une personne prétentieuse et, d'autre part, qu'on s'attache facilement à moi. Donc, pourquoi cette mise en garde ?

Je n'ai aucune raison de croire que vous allez vous attacher à moi. Ce serait tout simplement préférable de ne pas le faire, puisque vous risqueriez d'avoir un peu de peine devant ma mort. Et si je prends le temps d'écrire ces pages avant de mettre fin à mes jours, c'est justement que je veux éviter, autant que cela est possible évidemment, que qui que ce soit ait de la peine pour moi ou se sente le moindrement responsable. En fait, je préférerais que ma mort passe complètement inaperçue, mais cela demanderait plus de temps et d'énergie que je ne veux consacrer à toute cette affaire. C'est fou, quand on y pense, que ce soit si compliqué de mourir sans histoire, sans faire de vague, sans déranger. Alors qu'en restant en vie, je ne semble pas déranger le moindrement.

Au fond, si je veux être complètement honnête, et l'honnêteté est, malheureusement sans doute, une des qualités dont je suis affublé, je dois avouer que mon désir de déranger le moins possible par ma mort est moins grand que mon désir de mourir. Forcément, vous dites-vous, autrement je serais toujours en vie et vous ne seriez pas en train de lire ces lignes. Je vous avertis tout de suite que l'art de dire des évidences, c'est ma spécialité. J'ai fait chier bien des gens au cours des années (qui me l'ont bien rendu d'ailleurs), justement par cette tendance irrésistible à dire ce que tout le monde sait, cette chose qui prend au nez comme une odeur tenace, mais que chacun ignore, parce qu'il serait très inconvenant de dire que ça pue. Et moi je le disais, pas pour faire le fin finaud, pour choquer ou pour accuser, mais bien parce que je ne pouvais absolument pas faire autrement. L'odeur m'entrait par tous les pores, me collait à la peau du visage comme une chose visqueuse qui se prenait finalement dans ma gorge et m'étouffait, jusqu'à ce que je n'en puisse plus d'essayer de respirer quand même et que je vomisse une vérité qui devait être tue. Et alors qu'elle gisait là au milieu de la pièce, petit tas tiède et gluant, je respirais un bon coup, à grandes goulées, et j'aurais voulu crier de joie tellement c'était bon. Sauf que, comme vous pouvez l'imaginer (je vous devine tout de même assez perspicace), l'euphorie était de courte durée, alors que je constatais assez vite que j'avais jeté un froid sur mon auditoire et que j'allais tôt ou tard, d'une façon ou d'une autre, en payer le prix. Mais je m'éloigne.

Commençons, si vous le voulez bien, par examiner la scène du crime. Il s'agit bien d'un crime puisque personne n'a le droit de s'enlever la vie et que si j'avais manqué mon coup, on me le reprocherait sûrement. Vous avez bien noté l'ambiguïté ici ? On me reprocherait quoi, au juste ? D'avoir tenté de me tuer ou de m'être manqué ? Dans les pays barbares où la peine capitale existe encore, on ne souffre pas que les prisonniers condamnés tentent de s'enlever la vie et on les sauve parfois in extremis pour avoir la satisfaction de les éliminer soi-même… Examinons donc la scène du crime afin de reconstituer comme dans un polar ce qui s'est passé. Il me manquera quelques détails et j'espère que vous pourrez compléter pour moi. Que vous le vouliez ou non, nous sommes maintenant partenaires dans cette histoire, enfin, jusqu'au moment où vous déciderez d'arrêter de jouer. S'il y a quelqu'un qui est mal placé pour décréter qu'on devrait continuer à jouer quand on ne veut plus, c'est bien moi !

On m'a trouvé allongé sur mon lit, comme endormi. J'espère avoir eu l'air paisible, mais ça, je ne peux en être certain. Je dors généralement assez dur, mais les quelques femmes qui ont fait un peu plus que passer dans mon lit ont, à l'occasion, été témoins d'un de mes « épisodes », comme je les appelle à défaut d'autre terme. Il m'arrive en effet, assez rarement quand même, de sembler me réveiller et de m'asseoir brusquement, les yeux hagards, terrorisés, et d'émettre quelques sons incohérents. Je deviens parfois assez agité, repoussant violemment les couvertures et cherchant à tâtons, désespérément semble-t-il, un objet dont la nature demeure inconnue. Je finis par me calmer, je me recouche et le lendemain, je ne me souviens de rien. Tout ça pour dire que, si j'ai été en proie à un épisode du genre avant de sombrer dans le sommeil final, la scène que j'imagine paisible a peut-être gardé quelques signes de ce tourment intérieur. Ce serait dommage. J'espère être le genre de défunt duquel on dit, en jetant un regard attendri sur le cercueil ouvert: « Il a l'air en paix: il est sûrement mieux là où il est maintenant. » Je ne sais trop de qui viendrait ce regard attendri ou ces paroles rassurantes, parce que, à dire vrai, je laisse la plupart des gens plutôt indifférents. Mais je m'amuse quand même, pardonnez-moi ce caprice de presque mort, à imaginer quelque bonne âme, une parfaite étrangère peut-être, entrée au salon funéraire par désœuvrement ou par curiosité – ouais, j'avoue que c'est tiré par les cheveux – une vague connaissance alors, le gardien de sécurité de l'immeuble où je travaille, ou la commis de la paye, qui me sourit gentiment quand je passe près de son cubicule, ou encore mon voisin de palier avec qui j'échange trois ou quatre phrases par semaine, toujours les mêmes.

Lui: Vous avez entendu ce vacarme hier soir? Je n'ai quasiment pas dormi de la nuit.
Moi (*Serrant les lèvres et hochant la tête d'un air réprobateur.*): Ah oui!
Lui: Si ça continue, je vais devoir penser à déménager.
Moi: Je vous comprends.
Lui: Heureusement qu'on paie pas trop cher de loyer.
Moi: Oui, heureusement. Bonne journée, monsieur.
Lui: Bonne journée!

Je sais, c'est un peu banal comme conversation, mais quand on la répète pendant des années, ça crée tout de même un lien, ce n'est pas rien. Si c'était lui qui était mort avant moi, et que je sois allé au salon funéraire, j'aurais sûrement eu une bonne pensée pour lui, peut-être même un regard attendri ou quelque chose qui aurait pu passer pour ça. La tendresse, voyez-vous, ce n'est pas mon fort. Ce n'est pas que je sois contre ou que je n'aie pas essayé à mes heures, mais je ne suis pas doué. Je vois bien à certains moments que ce serait le temps, qu'un geste de réconfort ou une parole douce seraient de mise. J'ai fait quelques tentatives qui ont toutes plus ou moins avorté. Les mots me restent pris quelque part entre le cerveau et les cordes vocales, ou peut-être même avant ça, avant le centre du langage, parce que je n'arrive pas à formuler la phrase adéquate à la situation, comme s'il s'agissait d'une langue inconnue dont je ne connaîtrais que vaguement les sonorités mais aucunement le sens. Et le geste, ce n'est pas mieux. Ma main tressaille, le bras s'avance vaguement – ou vachement dans ce cas-ci – et se retire aussitôt, cherchant une contenance, un soutien. Je me retrouve la main dans la poche, les bras croisés ou en train d'examiner avec la plus grande attention la miette, le caillou ou le bout de papier que mes doigts ont ramassé au passage, comme on s'accroche à une bouée de sauvetage. Mais je digresse. Revenons à la scène que nous tentons d'imaginer paisible.

J'ai revêtu pour l'occasion mon plus beau pyjama, en fait mon seul pyjama. Je préfère normalement dormir nu, mais j'ai évidemment choisi de mourir habillé, pas habillé pour le jour mais pour la nuit, pour le repos et la détente. Ça fait partie de ma mise en scène : « Il est mort dans son sommeil. Quelle belle façon de mourir ! Moi, quand viendra mon tour, c'est comme ça que j'espère partir. » Tout le monde saura bien au fond que je me suis suicidé, mais chacun pourra choisir de croire à la mort naturelle, douce et caressante. Donc, je porte mon pyjama bleu ciel, avec de petites rayures blanches, celui que Jacinthe m'avait offert, il y a quinze ans, pour la visite au chalet de ses parents : « Pas question que tu dormes nu, ma mère se fait un malin plaisir de faire irruption dans ma chambre au moindre prétexte quand j'ai quelqu'un avec moi. » Je m'étais dit qu'au contraire, raison de plus pour coucher nu et au diable la bonne femme, mais je m'étais tu et j'avais sagement porté le pyjama bleu pour coucher auprès de Jacinthe sans la toucher – « Es-tu fou, ils entendent tout ! » – j'avais remercié la maman de Jacinthe pour le café au lit le lendemain matin et je n'avais plus jamais reporté le pyjama, ni revu les parents de Jacinthe d'ailleurs, mais ça, c'est une autre histoire.

Je porte donc ce pyjama pour la deuxième fois, pour cacher une nudité non seulement inconvenante (on vient au monde nu, mais on meurt tout habillé), mais embarrassante pour qui m'aura découvert. Enfin, découvert est un bien grand mot, parce que j'aurai eu la prévoyance d'avertir le propriétaire de l'immeuble de mon décès récent, par courrier prioritaire, rien de moins, en lui envoyant du même coup un chèque pour deux mois de loyer en guise de préavis et le numéro de téléphone du directeur du salon mortuaire chez qui j'ai fait les arrangements d'usage. Je voulais éviter que le corps ne se décompose trop avant d'être trouvé, dégageant du fait même des effluves nauséabonds qui auraient fait pester mon voisin de palier. Était-ce vraiment désintéressé ou essayais-je, dans un dernier sursaut d'orgueil, d'éviter que la dernière vision qu'on eût de moi soit celle d'un cadavre puant et grouillant de vers ? Je ne voudrais pas vous donner la fausse impression que je suis une personne gentille et pleine de délicatesse. Je suis essentiellement égocentrique, comme la plupart des gens, et si je veux épargner aux autres inconfort ou dégoût, c'est certainement d'abord pour préserver mon image. Trop tard pour ça, vous dites-vous, et vous avez sûrement raison, mais n'oubliez pas qu'au moment où j'écris ces lignes, je suis toujours vivant et que j'ai encore un peu ce vieux réflexe aussi banal que futile (c'est un de mes adjectifs préférés) de me soucier des qu'en-dira-t-on.

Que dire de plus sur ma mise en scène ? J'ai laissé les preuves des médicaments consommés dans la salle de bain, préservant dans la chambre l'illusion du « mort dans son sommeil ». J'ai fait un grand ménage, triant et donnant la plupart de mes effets personnels et jetant le reste. Mon garde-robe est vide, mon frigo l'est presque. Il ne reste dans l'appartement que les quelques meubles que l'Armée du Salut viendra chercher le lendemain, les vêtements que je portais avant d'enfiler le pyjama bleu et quelques articles de toilette qui ne prendront que quelques minutes à jeter. Je voulais prendre une dernière douche avant de mourir ainsi que me raser et me brosser les dents. Je n'ai probablement pas résisté non plus au réflexe ridicule de me badigeonner les aisselles d'antisudorifique. Voilà, c'est tout. Ah ! non, pas tout à fait ! J'ai aussi laissé ce cahier, bien en évidence sur la table de chevet. Je l'ai signé juste avant de m'allonger et de me laisser glisser doucement vers un sommeil sans rêve. Pourquoi ce cahier, vous demandez-vous ? Pourquoi quelqu'un qui est à ce point déterminé à mourir se donne-t-il la peine de laisser des explications, des justifications, des réflexions, un message ultime lancé dans le vide ? Et pourquoi, si ce message a la moindre importance, le laisser là où il risque d'être ramassé par n'importe qui, un étranger tout probablement ? Pourquoi ne pas l'envoyer à un ami, à l'exécuteur testamentaire ou à un membre de la famille ? Pourquoi ne pas insister pour qu'il soit traité avec respect, pour qu'il soit lu attentivement et conservé précieusement ? Pourquoi courir le risque que la personne qui le ramasse n'y trouve aucun intérêt et le jette, ou l'oublie au fond d'un tiroir ? Pourquoi écrire tant si rien ne me retient à la vie ? Pourquoi, en effet ?

Je savais que j'écrirais ce journal avant même de savoir que j'allais me tuer. Est-ce bizarre ? Probablement. Mais il me semble que je rédige ce long préambule à ma mort depuis que je suis enfant. Et depuis toujours, je m'adresse à quelqu'un, à un interlocuteur inconnu, avec la neutralité bienveillante d'un thérapeute payé pour vous écouter. Je ne vois pas son visage, mais j'imagine parfois un léger hochement de tête, un regard attentif, une expression d'encouragement ou de compréhension. Enfin, je pouvais imaginer ça tant que ce monologue n'était qu'intérieur. Maintenant que je l'écris pour vrai et que je pense que quelqu'un va le lire pour vrai, je n'arrive plus à croire à cette écoute intéressée, ou devrais-je dire désintéressée, dans le sens d'impartiale, sans investissement personnel. Maintenant que je suis confronté à vous, lecteur potentiel (enfin potentiel pour moi et actuel pour vous), les paroles coulent moins librement, je perds pied, je bafouille, je cherche le ton juste, le terme précis, et j'ai l'impression de m'embrouiller davantage, de m'interroger sur tout ce que j'écris, de douter de tout et surtout de moi-même. Pourquoi, en effet ? Pourquoi écrire tout ça puisque je vais mourir ? Pourquoi mourir puisque j'écris tout ça ? Non, ça, je ne le pense pas vraiment, je l'ai juste écrit à cause de la symétrie, du rythme de la phrase. Je sais pourquoi j'ai choisi de mourir. Je pensais savoir pourquoi j'avais choisi de m'expliquer. Je n'en suis plus aussi sûr. Je croyais que c'était pour la même raison que j'avais fait le ménage ou mes arrangements funéraires : pour éviter de déranger, pour faire le moins de vagues possible, pour que personne ne puisse s'imaginer que cette mort aurait pu être évitée. Je croyais que c'était par souci de bien faire les choses jusqu'au bout, de ne rien laisser traîner, ni mes guenilles ni des doutes ou des regrets. Je croyais que c'était pour satisfaire le désir de comprendre des gens, pour qu'ils puissent fermer le cahier, pousser un soupir et déclarer: « Ah! je comprends maintenant! Je sais pourquoi cet homme est mort et pourquoi c'est mieux ainsi. Il n'y avait pas moyen de faire autrement. » Et maintenant, je n'en suis plus aussi sûr. Pas sûr que ce soit mon unique objectif. Il y a plein de mots superflus qui sortent, trop de digressions, trop de détours. Qu'est-ce que je suis vraiment en train de faire?

Le 4 mai, neuf heures du matin (il fait soleil)

COMMENÇONS par le commencement, puisque commencer par la fin ne semble pas m'amener là où je veux me rendre. Je pense que j'ai décidé de mourir quand j'avais sept ans. « Décidé » n'est peut-être pas le terme juste, puisqu'il sous-entend un choix, quelque chose de délibéré, d'un tant soit peu réfléchi. À sept ans, je n'aurais certainement pas pu vous dire clairement que j'allais un jour me suicider. « Moi, quand je serai grand, je vais me tuer » ou quelque énoncé du genre ne me serait pas venu à l'esprit. Et pourtant, cette conviction intime m'habite depuis aussi longtemps que je me souvienne. Je ne peux pas imaginer ma vie sans cette pensée secrète et réconfortante en toile de fond : c'était mon bouclier, ma doudou, mon échappatoire. Je n'étais pas particulièrement triste ou morose comme enfant, mais j'ai commencé très tôt à trouver la vie ridicule. Ma mère semblait penser qu'elle m'avait fait le cadeau ultime en me mettant au monde. Je ne peux compter le nombre de fois que je l'ai entendue raconter comment elle avait failli mourir en accouchant de moi et qu'on pourrait donc croire qu'un minimum de reconnaissance serait de mise ! J'ai vraiment essayé d'apprécier ce cadeau, mais c'était peine perdue. Je n'étais pas, comme on dit, doué pour le bonheur. Et mes parents non plus, il faut bien le constater.

Mon père était un petit homme au regard terne et impénétrable derrière des lunettes qui lui glissaient constamment sur le nez et qu'il repoussait sans cesse d'un geste agacé. Ses vêtements semblaient toujours un peu trop grands pour lui, comme s'il avait un jour perdu rapidement beaucoup de poids et qu'il n'avait pas changé sa garde-robe. Il marchait à petits pas de vieux, un peu voûté, en se traînant les pieds, alors qu'il avait l'âge que j'ai aujourd'hui, fin quarantaine ou début cinquantaine. Qu'avait-il vécu pour avoir l'air ainsi accablé par la vie? Avait-il eu comme moi des parents bien ordinaires et une maison bien ordinaire dans un quartier bien ordinaire? Avait-il lui aussi une envie secrète de mourir? Était-il malheureux, indifférent ou satisfait de son sort? Il parlait peu, et rarement de lui, et réussissait tellement bien à disparaître que ce ne fut qu'après sa mort que je m'aperçus que je ne le connaissais pas. Il me restait quelques souvenirs assez flous. Un après-midi, au chalet d'un de mes oncles, j'avais accompagné mon père pour un tour de chaloupe sur le lac: je me rappelle avoir été surpris qu'il sache si bien ramer. J'avais voulu essayer, il m'avait dit que je ne saurais pas, j'avais insisté et il avait fini par me céder la place. Je ne savais pas, en effet, et le mouvement rythmé et fluide qui m'avait semblé si facile en l'observant m'échappait complètement. Il m'avait laissé me débattre quelques minutes, alors que la chaloupe avait cessé d'avancer et ne faisait que tourner vers la gauche. Il avait tout simplement attendu que je m'avoue vaincu et que je lui rende les rames. Je lui avais dit: « Tu ne m'as pas montré. Pourquoi tu ne m'as pas montré comment faire? » Il avait haussé les épaules: « Tu voulais essayer. Je t'ai laissé essayer. » Nous étions revenus au chalet en silence et je ne sais toujours pas si c'était pour m'épargner une humiliation supplémentaire qu'il n'avait rien ajouté ou si c'était par simple mesquinerie. Peut-être était-il comme moi empêtré dans ses mots, dans ses élans et ses réticences. Il était aussi incapable d'offrir un réconfort que de triompher. En arrivant au bord, j'ai filé derrière le chalet, vers le bois. J'ai entendu ma mère demander: « Qu'est-ce qu'il a encore celui-là? » Je n'ai pas entendu la réponse. Le lendemain, alors que mon père s'apprêtait de nouveau à sortir en chaloupe, il m'avait regardé avec une question dans le regard. Je ne savais pas si c'était une invitation, un défi ou une critique voilée: j'avais tout simplement détourné la tête et mon père était parti seul. Je ne me souviens pas d'avoir ressenti quoi que ce soit, mais je ne suis jamais remonté dans une chaloupe. Des années plus tard, après sa mort, alors qu'il m'arrivait encore d'avoir parfois des regrets, je m'étais demandé ce qui se serait passé si je l'avais accompagné sur le lac ce matin-là. J'avais échafaudé un scénario romantique dans lequel il me tendait les rames et m'expliquait en quelques mots comment m'y prendre. Je réussissais du premier coup et il hochait la tête en signe de satisfaction. Mais ça, ça aurait pris un autre père et un autre moi. Il y a longtemps que je l'ai compris et que j'ai arrêté de souhaiter que les choses aient été autres que ce qu'elles ont été. À quoi bon?

Quand mon père parlait à la maison, c'était à coup de déclarations à l'emporte-pièce ou de remontrances aussi générales que tranchantes. Tout le monde était pris par surprise et figeait pendant quelques minutes. Même ma mère, qui n'avait pourtant pas la langue dans sa poche et qui ne se gênait pas pour l'enguirlander alors qu'il s'emmurait dans son silence, même ma mère restait coite quelques instants, interrompait ce qu'elle faisait et se retournait pour s'assurer que c'était bien lui qui venait de parler. Un soir, durant le souper, il avait mis un terme à une obstination lancinante et insignifiante entre mes deux sœurs en lançant : « Si vous avez rien de mieux à faire que de dire des niaiseries, faites donc comme moi et taisez-vous ! On va pouvoir souper en paix. » Son ton était tellement méprisant que les deux filles s'étaient renfoncées dans leur chaise et n'avaient effectivement plus dit un mot à table pendant plusieurs jours. Ma mère, qui ne supportait pas le silence, avait fait quelques tentatives pour relancer la conversation, mais personne n'avait osé une réponse et mon père était lui-même retourné à son mutisme habituel, le nez dans son assiette. Et moi, je me sentais dans la peau d'un spectateur devant une pièce de théâtre surréaliste : je voyais ma mère s'agiter et bouger les lèvres, mais je n'entendais aucun son sortir de sa bouche. Je regardais mon père mastiquer longuement sa bouchée de viande, avec une application concentrée que le morceau de bœuf sec et trop cuit ne méritait sûrement pas. Du coin de l'œil, je voyais une de mes sœurs déplacer ses haricots du bout de sa fourchette et les enligner un par un, bien droits, à côté de ses patates pilées. Mon autre sœur, après le choc initial, avait été prise d'un fou rire qu'elle tentait de dissimuler derrière ses cheveux en se penchant sur le verre de lait qu'elle tenait à deux mains. Il me semblait avoir été catapulté dans une famille de purs étrangers, sans avoir la moindre idée de ce que je faisais là ou de ce qu'on attendait de moi. Cette impression m'est venue si souvent par la suite et dans tellement de situations différentes qu'elle a cessé de me surprendre. C'étaient plutôt les moments où je me sentais à ma place qui m'étonnaient et que je remarquais malheureusement trop vite : ça brisait le charme et je reprenais vite mon rôle de spectateur malgré lui.

Je ne sais pas trop ce que mon père faisait comme travail : il était fonctionnaire au gouvernement fédéral, où il s'occupait d'autres fonctionnaires qui étaient chargés d'élaborer des politiques quelconques sur des sujets quelconques. Il avait gravi les échelons lentement, certainement pas de façon fulgurante, mais systématiquement. Il les avait à l'usure, j'imagine, comme avec ma mère. En tout cas, c'est ce qu'elle se plaisait à raconter. C'est sa tante qui lui avait présenté le fils d'une de ses amies, un jeune homme bien, avec un bel avenir, l'avait-on assurée. Elle l'avait trouvé terne et ennuyant, assez distingué malgré tout, mais sans le moindre charme qui aurait pu émouvoir son cœur de jeune fille. Mais il avait persisté : pendant plus d'un an, il était de toutes les soirées où elle se pointait, il s'était joint à la chorale de la paroisse après avoir appris qu'elle en était membre, il lui envoyait des fleurs une fois par mois, toujours le même petit bouquet mélangé, celui qui – il s'était renseigné – durerait le plus longtemps. Il lui faisait même parvenir de courtes lettres qui, sans être enflammées, contenaient tout de même des promesses de sentiments purs et durables. Bref, après une déception amoureuse de trop, ma mère, dans un élan impulsif qu'elle eut souvent par la suite le loisir de regretter, avait déclaré à mon père : « Si vous voulez, je vous épouse. » Il avait eu la perspicacité de ne pas hésiter et, six semaines plus tard, ils s'étaient mariés devant parents et amis, à l'église du quartier où ils habitaient encore lors de sa mort vingt-cinq ans plus tard. J'avais toujours du mal à me représenter mon père comme ce jeune homme amoureux qui avait mené une campagne de séduction systématique et non dénuée d'une certaine imagination. Quoi qu'il en soit, il n'avait sûrement pas été à la hauteur par la suite. Les récriminations incessantes de ma mère tout au long de leur mariage en témoignaient, à moins que ce ne soit elle qui, regrettant son choix presque aussitôt, ait finalement été impossible à satisfaire. Je sais seulement qu'au moment où j'ai été assez vieux pour me faire une petite idée de l'état de leur relation, ils avaient clairement jeté l'éponge tous les deux depuis belle lurette, et bien que ma mère exprimât sa rancœur plus ouvertement, l'hostilité de mon père était palpable. Pas étonnant que je n'aie jamais réussi de mon côté à faire durer une relation de couple au-delà de la lune de miel.

J'ai donc grandi dans une famille où tout le monde était déçu de tout le monde. Ma mère était déçue du manque d'envergure de mon père et elle s'en voulait du moment de faiblesse qui l'avait amenée à se marier. Mon père était déçu qu'elle ne l'aime pas et lui reprochait donc ses moindres élans d'enthousiasme, puisqu'ils n'étaient jamais dirigés vers lui. Il ne supportait pas qu'elle cajole mes sœurs, jugeant qu'elle les gâtait outrageusement et les maintenait dans un état de sotte dépendance. Mes sœurs en retour étaient déçues d'avoir un père si médiocre et si peu viril, et elles en voulaient à ma mère d'être malheureuse et de le rester. Et tout le monde était déçu de moi, l'accident de parcours, qui avais failli tuer ma mère et qui étais un garçon en plus, crime ultime à ses yeux. Mes sœurs m'en voulaient de leur avoir usurpé le peu d'attention que notre père leur portait. Et mon père, en revanche, qui avait évidemment espéré un fils tout autre, était déçu de ma nature profonde au fur et à mesure qu'elle se dévoilait. J'étais maladroit, j'avais les bronches fragiles, j'étais mou et influençable, j'étais lâche et sans conviction et, pire que tout, je vouais à ma mère une dévotion sans bornes.

Je la trouvais belle, cultivée, intéressante et spirituelle. J'admirais sa vivacité, son sens de la répartie, ses remarques assassines livrées d'un ton léger, sa rage de vivre. Ses changements d'humeur aussi rapides qu'imprévisibles me fascinaient et j'étais sans cesse à l'affût d'un indice, d'un signe avant-coureur, d'un avertissement. Et toujours, elle me déjouait. Au moment où je croyais avoir bien repéré les mines et que je prenais de grandes enjambées délibérées pour les éviter, je trébuchais sur un petit caillou qui m'avait paru inoffensif et qui déclenchait pourtant une explosion impressionnante. Et alors que je me tenais loin, tapi dans un coin, aussi invisible que possible pour éviter la tempête, elle me souriait tendrement en m'apercevant et me tendait la main : « Mais qu'est-ce que tu fais là, mon petit lapin ? Viens, je vais te jouer du piano. » Elle s'installait devant le clavier et semblait m'oublier aussitôt, se lançant sans retenue dans quelque fugue de Bach ou quelque nocturne de Chopin. Une heure ou deux plus tard, elle se levait brusquement, semblait surprise de me voir là, à côté d'elle, et se remettait à bourrasser (tiens, mon correcteur informatique me souligne que ce n'est pas un mot, mais il me semble bien que c'est ce qu'elle faisait. *Bourrasser*: déplacer beaucoup d'air, comme une bourrasque, en marmonnant d'un ton bourru). C'était à rendre fou et d'aucuns affirmeront sûrement que je l'étais. Fou d'elle en tout cas, ça, c'est sûr. Fou d'elle et malheureux de l'être jusqu'à ce que, éventuellement, beaucoup plus tard, je ne le sois plus du tout.

Je ne me souviens pas si c'est arrivé peu à peu, à force de frustrations et de confusion, ou si cela s'est produit subitement, comme ses élans d'amour ou de désamour à elle. Je sais juste qu'un jour, je ne l'aimais plus. Elle continuait de m'intéresser, je l'admirais toujours et je n'avais pas cessé de l'observer et d'évaluer ses humeurs, mais elle ne m'atteignait plus. J'étais à l'abri derrière une grande vitre froide et solide. Je n'espérais plus qu'elle m'aime ou qu'elle me caresse, je ne souffrais plus de ses tirades, de son fiel ou de sa violence. Et pourtant, Dieu sait qu'elle en a déversé sur moi de son mal de vivre, que ce soit en me reprochant d'avoir failli la faire mourir à ma naissance, en critiquant mon apparence – mes oreilles décollées, mes dents croches, mon dos rond, mes jambes maigres – en ridiculisant mes peurs ou en soulignant mes maladresses. Elle avait probablement lu un manuel sur l'art élever des enfants bien dans leur peau et décidé de faire en plein le contraire. Mais comme le déclarait mon père si j'avais le malheur de me plaindre de quoi que ce soit : « *What doesn't kill you makes you stronger !* » Étais-je vraiment devenu plus fort, à force d'insultes, de moqueries et de tapes derrière la tête ? Est-ce de la force que de ne plus rien espérer, de ne plus rien sentir et de juste vouloir en finir ? Est-ce de la force que de ne pas pleurer la mort de mon père et de désirer celle de ma mère ? Peut-être bien. Tout ce que je sais, c'est que je n'ai pas choisi d'être comme ça : cela s'est tout simplement imposé à moi.

Le 4 mai (encore), huit heures du soir

On aurait pu croire que j'aurais donc été tout à fait soulagé, à l'âge de cinq ans, de pouvoir échapper quelques heures par jour à l'emprise de cette marâtre. En fait, l'école me terrorisait. Je n'avais jamais interagi avec d'autres enfants, à part mes sœurs qui, étant six et sept ans plus vieilles que moi, ne s'occupaient de moi que quand elles avaient besoin d'un souffre-douleur ou d'une poupée vivante pour jouer un rôle dans une de leurs nombreuses pièces de théâtre. D'une façon ou d'une autre, c'était rarement plaisant. J'avais bien quelques cousins que j'avais côtoyés une ou deux fois par été, mais je n'avais jamais réussi à être accepté autrement que comme spectateur de leurs jeux ou, honneur ultime, comme messager: « Va demander si on peut avoir un lunch pour aller en pique-nique dans la forêt. Va dire à mon oncle qu'on prend la chaloupe pour aller sur l'île. Va nous chercher un marteau et des clous pour bâtir notre cabane. » Et je partais aussitôt, fier qu'on m'ait confié une mission importante et inquiet de ne pas bien la remplir. Je revenais souvent bredouille, ou chargé d'un message qui m'attirait les foudres de leur déception.

J'étais donc très mal préparé pour la jungle écolière. Et la récréation était pour moi le pire moment de la journée. Je me retrouvais le plus souvent le long du mur ou accroupi dans un coin, apparemment fasciné par un insecte, un petit bout de bois ou le lacet de mon soulier. Si l'éternité de quinze minutes pouvait s'écouler sans qu'on m'adresse la parole, je poussais un soupir de soulagement et je regagnais la sécurité relative de la salle de classe. Si toutefois l'institutrice de garde m'enjoignait de quitter mon refuge – « Allons, ne reste pas le long du mur comme ça, va jouer. » – je ne savais plus que faire de mon corps. Je prenais un ou deux pas hésitants et je restais là les bras ballants, ne sachant que faire de mon corps. Je me sentais exposé, comme un bernard-l'ermite entre deux carapaces. J'ai fini par développer diverses stratégies pour survivre à la récré, mais je n'ai jamais vraiment surmonté la terreur de ces premiers mois. J'ai appris à avoir toujours l'air de m'en aller quelque part, comme si on m'avait appelé là-bas, plus loin, ou que je venais de remarquer un jeu ou un groupe qui m'intéressait particulièrement de l'autre côté de la cour d'école. J'ai aussi appris à repérer les autres enfants trop laids, trop timides ou trop gros, et sans m'en faire vraiment des alliés, au moins à me planter pas trop loin de l'un d'eux pour qu'on puisse avoir l'air d'être ensemble et que les maîtresses bien intentionnées nous foutent la paix. Cette stratégie comportait malheureusement des failles importantes. Il est dangereux d'avoir l'air associé à un enfant que la masse a exclu, puisqu'on risque d'être rejeté à son tour, par contagion. Pas que l'exclusion comme telle me dérangeait beaucoup, mais elle était parfois accompagnée de bousculades, d'injures ou de coups, ce qui était un peu plus désagréable. L'autre désavantage de cette stratégie de pseudo-association se situait dans le risque que l'autre enfant s'accroche à vous comme à une bouée de sauvetage, ce qui est somme toute assez ironique. Moi qui me maintenais à peine la tête hors de l'eau et qui commençais déjà à souhaiter la noyade une fois pour toutes, je devenais, l'espace de quelques semaines, quelques jours ou d'une récré ou deux, la bouée de sauvetage de quelqu'un d'autre.

C'est d'ailleurs comme ça que j'ai rencontré Dédé. Il avait neuf ans, j'en avais huit. Il était dans l'autre classe de quatrième année. Nous avons été amis pendant trois ans, jusqu'à ce que son père, un militaire, soit muté à Halifax. Nous nous assoyions ensemble dans l'autobus scolaire et nous passions nos récrés à déambuler côte à côte, les mains dans les poches. Je pense que nous parlions un peu, de temps en temps, de hockey surtout, mais parfois d'autre chose, comme des faits saillants de la journée scolaire : « Le gros Robert a encore saigné du nez ce matin, t'aurais dû voir ça, ça pissait partout ! Je pense que Jean-Claude a eu la strappe hier : sœur Georges l'a envoyé au bureau pis quand il est revenu, il voulait pas montrer ses mains. Mademoiselle Dagenais a commencé à nous lire une vraiment bonne histoire vendredi passé, pis elle va continuer à tous les vendredis. Chanceux. Sœur Georges fait rien que des choses plates tout le temps. » Une fois, Dédé m'avait demandé : « Pis toi, ton père te flanque-tu des volées ? » J'avais été tellement surpris que j'avais répondu du tac au tac : « Non, moi c'est ma mère. » Ça avait eu l'air de l'impressionner. On n'en avait jamais reparlé, mais il y avait eu ensuite un lien plus fort entre nous, ça, c'est sûr. Je n'étais jamais allé chez lui et il n'était jamais venu chez moi. Je savais où il demeurait parce que l'autobus le déposait devant sa maison, sur la base militaire de Rockliffe, avant de me laisser chez moi. De temps en temps, j'avais vu sa mère l'accueillir et lui passer tendrement la main dans les cheveux. Je détournais les yeux par pudeur, et je lui enviais cette mère que j'imaginais douce et sereine, tout ce que la mienne n'était pas. J'habitais probablement à moins d'un mille de chez lui, mais un fossé infranchissable nous séparait. Nous n'avions ni l'un ni l'autre le genre de famille où l'on invite des amis. On ne se voyait jamais durant les vacances scolaires et c'est avec un soulagement inexprimé qu'on se retrouvait le matin de la rentrée. Il y avait un moment de gêne où chacun attendait probablement un signe de l'autre et puis un des deux s'avançait.

– Salut.

– Salut. T'es dans quelle classe ?

– Sœur Saint-Germain, et toi ?

– Madame Beaupré.

– Ah ! On s'voit tantôt alors ?

– Ouais.

On n'avait jamais été dans la même classe. Je craignais à chaque année qu'il se fasse un autre ami ou qu'il soit tout à coup accepté dans son groupe et que je me trouve seul de nouveau. Surtout que je ne comprenais pas trop ce qu'on pouvait bien lui reprocher : il n'était pas riche, mais pas vraiment plus pauvre que la plupart d'entre nous, il n'était pas gros, ni laid ni chétif. Il n'était pas stupide, ni assez doué pour être le chouchou des profs. Il avait peut-être tout simplement eu la malchance d'être le petit nouveau, en troisième année, alors que les cliques étaient déjà bien formées.

En cinquième année, il s'était pointé un moment donné, à la récré du matin, en compagnie d'un autre, un gros rouquin, qui souriait de toutes ses dents trop grandes pour sa bouche, ce qui lui donnait un air un peu niais. Je l'ai détesté d'emblée. J'ai jeté un regard interrogateur à Dédé qui a tout simplement haussé les épaules en un geste d'impuissance. Le gars s'appelait Michel, il était nouveau à l'école et parlait constamment. Son père était diplomate ; la famille venait de passer trois ans quelque part en Afrique. Dédé et moi, on doutait un peu de ses histoires, tout de même, quand on en reparlait dans l'autobus. Si c'était vrai pour l'Afrique, pourquoi il avait jamais vu de lion ? Et c'était quoi cet accent français ? Sans le savoir, il était devenu notre principal sujet de conversation et nous l'écoutions, fascinés. Il nous transportait au bout du monde, Dédé qui n'avait jamais vécu ailleurs que sur une base militaire, et moi qui n'avais jamais vu autre chose qu'Ottawa, Montréal ou le chalet de mon oncle à Saint-Pierre-de-Wakefield. Nous ne l'aimions pas pour autant, mais nous le tolérions. Nous avons été presque déçus lorsqu'il nous annonça quelques mois plus tard qu'il quittait notre école : ses parents avaient décidé de l'inscrire au lycée Claudel. Il nous aurait annoncé son départ pour un autre pays lointain que cela ne nous aurait pas semblé plus exotique : changer d'école au milieu de l'année scolaire, sans y être contraint par un déménagement forcé ou une expulsion, voilà qui nous ouvrait des possibilités insoupçonnées. Et que dire de cette école étrange, sans bonnes sœurs ni curés, peuplée (selon sa mère) d'enfants « de bonne famille » et où l'on comptait les années scolaires à l'envers ?

Pourtant, tout malheureux que je fusse, je n'aurais pas voulu changer d'école pour tout l'or du monde, surtout depuis que Dédé et moi, on était amis. Nous deux, c'était « à la vie, à la mort », comme il me l'avait déclaré une fois, et j'avais laissé résonner longtemps ces mots merveilleux, sortis tout droit d'un roman d'aventures ou d'une bande dessinée. Je m'étais délecté à les répéter : « Ah ! oui ! À la vie, à la mort ! » Et je les avais répétés encore, inconsolable, lorsqu'il m'avait annoncé qu'il ne serait plus là l'année suivante, que sa famille déménageait à Halifax, à l'autre bout du monde, quoi. Mais tu avais dit, on avait dit : « À la vie, à la mort. » Ça veut dire quoi « À la vie, à la mort » si tu t'en vas et qu'on ne se reverra plus ? Hein, ça veut dire quoi ? Ces paroles me tournaient dans la tête sans que je sois capable de les articuler. Je sentais bien qu'il était malheureux lui aussi : je le sentais dans le ton particulièrement nonchalant qu'il avait adopté pour m'annoncer la nouvelle, et dans le fait qu'on n'en ait pas reparlé durant les deux ou trois mois qui restaient avant les vacances. Plus la fin de l'année approchait, moins on parlait de quoi que ce soit. On passait encore toutes les récrés ensemble, on s'assoyait toujours côte à côte dans l'autobus scolaire, mais les mots nous échappaient. Les bribes de faits divers, les informations hétéroclites glanées çà et là, tout ce qui meublait autrefois notre complicité, n'avait plus vraiment d'intérêt. Le dernier jour d'école, alors que tous les enfants jubilaient et se lançaient tête première dans les vacances à perte de vue, Dédé et moi, on avait fait ce qu'on faisait tous les jours, comme si on allait se revoir le lendemain et tous les jours suivants. Il était descendu de l'autobus après son petit signe de tête habituel, avait haussé les épaules dans un geste familier et était rentré chez lui sans se retourner. J'avais été surpris de sentir ma gorge se nouer alors que j'étirais le cou pour continuer à voir sa maison le plus longtemps possible. J'avais peut-être espéré jusqu'à la fin qu'il ne parte pas vraiment. Je n'avais pas encore tout à fait appris qu'il ne sert à rien d'espérer que les choses soient autres que ce qu'elles sont.

Le 5 mai, dix heures du matin

JE ME DEMANDE de plus en plus pourquoi j'écris tout ceci. Je me demande aussi à qui j'écris. Vous êtes bien aimable de m'avoir accompagné jusque-là dans mes réminiscences et mes divagations, mais ça me fait très étrange de ne pas savoir qui vous êtes. Êtes-vous un parfait étranger, ou m'avez-vous connu à un moment ou l'autre de ma vie ? Au fond, qu'est-ce que ça change ? J'écris surtout parce que je ne peux pas faire autrement : tous ces mots qui me sont restés pris dans la gorge au cours de ma vie, j'ai besoin de les laisser sortir pour vraiment mourir en paix. Je pensais que je pourrais ainsi expliquer mon geste ultime, et convaincre n'importe quel lecteur de l'inévitabilité de mon suicide, mais je me rends compte que je m'éloigne. Qu'est-ce que le gros Michel ou tout autre compagnon de cour d'école peuvent bien avoir à faire avec ma décision d'en finir avec la vie ? Est-ce que, comme le battement d'aile d'un papillon en Chine qui finit par déclencher une tornade dans les Caraïbes (ou quelque chose du genre), je m'imagine que chacune de mes expériences, si banale fût-elle, m'a mené inexorablement vers ce que je suis aujourd'hui et donc vers ma mort volontaire ?

Et pourtant, pourtant j'écris. Je vous écris. J'écris en sachant que je serai lu. Je lance mes mots dans le vide, mais je souhaite que quelqu'un les attrape. Peu importe qui. En tout cas, c'est ce que je crois, et j'ai beau sonder les profondeurs de ma psyché, je ne vois pas autre chose. J'ai d'ailleurs fait damner les quelques psys de tout acabit que j'ai consultés au cours de ma vie, jamais très longtemps il va sans dire, par l'opacité de mon inconscient. Certains ont conclu à de la mauvaise foi de ma part, d'autres à de la résistance massive, et d'autres encore à un désordre de la personnalité frôlant la sociopathie. J'ai toujours préféré croire que j'étais plutôt un être simple, relativement transparent, sans doute assez superficiel. Je n'ai jamais tellement aimé me poser des questions, m'étant vite rendu compte que c'était une véritable perte de temps et d'énergie. Soit qu'on trouve une réponse partielle qui mène inévitablement à une autre question, puis une autre encore, comme l'enfant de trois ou quatre ans qui multiplie les pourquoi jusqu'à ce que le parent exaspéré ou à bout d'imagination réponde « Parce que! » Soit qu'on ne trouve aucune réponse et que l'angoisse qui nous a poussé à en chercher une au départ se trouve amplifiée par l'échec de notre démarche. Ou encore, et cette option est probablement la pire, on trouve LA réponse, la vraie, la complète, celle qui explique tout, qui rassure, qui nous enveloppe dans un cocon douillet au sein duquel on ronronne de satisfaction. Plus de doute, plus d'angoisse, plus de ce sentiment agaçant qu'il nous manque un morceau du casse-tête, et que si seulement on pouvait le découvrir, tout tomberait en place, tout irait bien dans le meilleur des mondes. Et qu'est-ce qui arrive après, hein, je vous le demande? Qu'est-ce qui arrive inévitablement après ces moments de douce extase? Qu'est-ce qui arrive après qu'on s'est bercé d'illusions dans notre petit cocon ouaté? Je vois que vous avez tout compris: je savais bien que vous étiez perspicace! Eh oui, après le cocon, la réalité impitoyable nous rattrape. Le cocon s'effrite, brusquement, emporté par un vent de tempête, ou peu à peu, usé par une série de petits chocs, jusqu'à ce qu'il se dissolve finalement en un tas de poussière fine. La moindre brise le disperse ensuite alors qu'on tente désespérément d'en rattraper quelques grains au vol. On se retrouve nu comme un ver, grelottant et désespéré, et on se jure qu'on ne se fera pas refaire le coup! Alors, vos réponses, non merci, vous pouvez les garder pour vous. J'ai appris à m'en passer et je ne m'en porte pas plus mal.

Quoi? Vous ne me croyez pas? Vous vous souriez à vous-même d'un air entendu en lisant ces dernières lignes? Vous avez du mal à croire que je ne me porte pas mal si je suis en train de vous expliquer, avec moult détours, je le reconnais, les raisons de mon suicide? J'avoue qu'en surface, comme ça, si on ne me connaît pas bien, cela peut sembler contradictoire. Surtout si vous acceptez la sagesse populaire qui décrète qu'on se suicide toujours par souffrance ou mal de vivre, qu'on ne choisirait jamais cette option à froid, logiquement, pas pour échapper à quelque chose, mais tout simplement parce que c'est le meilleur choix disponible.

Je vous devine incrédule. J'ai du mal à vous imaginer autrement. J'ai du mal à vous imaginer compréhensif, hochant doucement la tête et laissant mes paroles vous atteindre et vous convaincre. J'ai du mal à vous imaginer d'accord avec moi. Probablement parce que la majorité des humains que j'ai rencontrés (pour ne pas dire tous) semblaient habités par ce fâcheux instinct de survie qui les pousse à rejeter d'emblée tout raisonnement suspect qui pourrait les entraîner insidieusement sur une pente glissante et vertigineuse. Quelle farce, cet instinct de survie! Quand je m'amuse à inventer un dieu, je lui prête un sens de l'humour pour le moins sadique qui l'a poussé, sans doute à la dernière minute, à affubler ses créatures de ce désir irrésistible de vivre, alors même qu'il les précipitait dans un monde absurde et cruel ! Je l'ai vraiment de travers, ce fameux instinct de survie. C'est à cause de lui que je suis encore ici, que j'ai enduré si longtemps une existence le plus souvent désagréable, que j'ai longtemps cherché à être autrement, ailleurs, mieux, avec quelqu'un d'autre, occupé à autre chose, avec toujours l'espoir (ce dangereux corollaire de l'instinct de survie), l'espoir, dis-je, que j'y arriverais. Que j'arriverais à quoi, je me le demande encore. Que j'arriverais à aimer vivre, peut-être, ou du moins, à ne plus me rendre compte que je n'aimais pas ça... Que j'arriverais à être comme tout le monde, probablement, ou du moins à faire semblant. Je n'ai jamais réussi à jouer le jeu, à me conformer aux attentes des autres, à faire tout simplement ce qui était attendu. La vie aurait été tellement plus simple si j'avais su faire ça.

Il me semble pourtant que j'ai bien essayé. Enfant, en tout cas, il me semble que j'ai longtemps essayé, essayé d'être la sorte de fils dont mon père aurait été fier, essayé de rendre ma mère heureuse, essayé d'être un bon élève, un bon ami, un bon garçon. Je pense que je me suis fatigué d'échouer. Je me suis fatigué de constater chaque jour que je décevais mon père ou que j'exaspérais ma mère. Je me suis fatigué d'essayer si fort d'être comme les autres enfants et de ne rencontrer chaque jour que leur indifférence ou leurs moqueries. Je me suis fatigué d'essayer si fort d'écrire entre les lignes, de souligner le titre en rouge – en utilisant une règle – de pencher mes lettres vers la droite ou de ne pas m'appuyer la tête sur la main durant les leçons. Je me suis fatigué de résoudre chaque soir de faire mieux le lendemain et d'échouer chaque jour, bien souvent avant la première récré du matin.

Je n'ai pas arrêté d'essayer d'un coup. Ce fut plutôt un processus graduel, un décrochage constitué de milliers de petits décrochages. J'aurais bien aimé que cela se fasse en un grand coup d'éclat, que je me lève un matin transformé et que je sente clairement et irréversiblement que c'était fini, que j'avais compris, que je n'y croyais plus et que ça m'indifférait au plus haut point. J'aimerais pouvoir vous dire précisément quand c'est arrivé, où j'étais, ce que je faisais. Comme on se demande où l'on était lorsque John F. Kennedy a été assassiné ou encore, pour les plus jeunes, le matin du 11 septembre 2001. Mais ce ne fut ni soudain ni dramatique. Je suis certain que personne dans mon entourage ne s'en est rendu compte. Peut-être parce que j'ai toujours eu l'air de me ficher de tout, avant même que ce ne soit le cas. Je pratiquais pour plus tard sans le savoir. Toute ma vie, ce fut d'ailleurs le reproche ultime qu'on m'a adressé : « Ah ! toi, on sait bien, tu t'en fous ! » Ce à quoi je répondais évidemment par un haussement d'épaules. Je savais bien que ça passerait plutôt mal de répondre que oui, effectivement, je m'en foutais, mais qu'il ne fallait pas le prendre personnellement, j'étais comme ça avec tout le monde. Pas que mon haussement d'épaules passait beaucoup mieux, mais il avait au moins l'avantage de demander un minimum d'énergie. Et bien que ce geste eût l'air lui aussi non seulement d'admettre l'indifférence mais de l'afficher, ce n'était pas si simple que ça. C'était plutôt un constat d'impuissance, un aveu silencieux de mon inaptitude face à tout ce qui touche les rapports humains. Je n'ai jamais réussi à atteindre l'indifférence absolue face à la souffrance des autres. Mais je me suis vite rendu compte que j'étais très peu doué pour la soulager et donc, que la meilleure chose que je puisse faire pour la personne souffrante, c'était de m'éclipser, pour éviter d'ajouter au fardeau de la douleur celui de mon incompétence. Je l'ai fait très tôt avec mon père, je l'ai fait à plusieurs reprises avec les femmes qui sont passées dans ma vie et je n'ai jamais réussi à le faire complètement avec ma mère.

Le 5 mai, neuf heures du soir

APRÈS LE DÉPART de Dédé, je ne me suis fait aucun autre ami à l'école primaire. Ce n'était ni une décision consciente ni une stratégie défensive. C'était juste comme ça. Je recommençai à repérer les marginaux dans la cour d'école et à m'en servir comme écran de fumée. La plupart du temps, je réussissais assez bien à me faire oublier. Je ne me sentais à ma place nulle part, mais je n'avais plus aussi peur qu'avant. À force d'observer tous ceux qui étaient exclus, différents, rejetés, enfants ou adultes, j'avais appris à reconnaître les vulnérabilités des mal-aimés. Je ne m'en servais pas dans mes rapports avec eux, je n'aurais pas su comment, mais ça me donnait de l'assurance, une impression d'un pouvoir quelconque. Je voyais des choses que d'autres ne voyaient pas.

Et puis, en huitième année, il y a eu, coup sur coup, plusieurs événements marquants. Il y a eu d'abord monsieur Beauchamp, un stagiaire de l'École normale, qui a passé trois semaines dans notre classe et qui a été la première personne à me demander mon opinion. Il avait ensuite pris le temps d'écouter patiemment et de décortiquer le désordre incohérent des mots que j'avais balbutiés pour en extirper une idée claire, originale, intelligente. J'en étais abasourdi. C'est avec lui que j'ai découvert le pouvoir des mots, de mes mots. Alors qu'à la maison, je n'avais jamais eu droit de parole, voilà qu'on s'intéressait à ce que j'avais à dire et plus encore, qu'on m'encourageait à en dire plus. Je n'ai malheureusement pas croisé souvent dans ma vie d'auditeur aussi attentif que monsieur Beauchamp, mais ça ne faisait rien. Le mal, pour ainsi dire, était fait. J'ai commencé à écrire, à m'exercer peu à peu à articuler ma pensée, à nommer, à questionner, à constater, à dénoncer. C'était délicieux. Je ne sais combien de cahiers j'ai noircis avec un bonheur frénétique durant cette période, mais je sais que ce fut une planche de salut. On dirait que je retrouve un peu de ce plaisir aujourd'hui à écrire ces pages : alors que je croyais au départ y consacrer à peine quelques heures, je m'étends, je digresse, j'élabore et je me perds. J'oublie le but de l'exercice et je m'amuse à suivre les mots là où ils m'entraînent. Je me demande un peu pourquoi j'ai arrêté d'écrire puisque j'y prenais – et que j'y prends encore on dirait bien – tant de plaisir. J'ai probablement fini par me rendre compte que ça aussi c'était futile, que les mots n'avaient pas le pouvoir magique que je leur avais prêté, qu'ils ne changeaient rien, qu'ils n'avaient au fond, comme le reste, aucune importance.

Mais continuons, puisque j'ai commencé et que je semble incapable de m'arrêter. Je parlais de la huitième année et de monsieur Beauchamp. Une autre raison pour laquelle son court séjour dans notre classe fut mémorable, c'est que je n'avais jamais eu d'enseignant masculin. L'école était dirigée par des religieuses et, à part une poignée d'institutrices laïques, toutes les maîtresses étaient des sœurs. Il y avait bien l'aumônier qui nous visitait régulièrement pour nous préparer aux sacrements, mais il aurait été difficile de trouver un homme aussi dépourvu de charme ou de virilité. Je vivais du matin au soir dans un monde féminin, de cornettes et de sornettes en tout genre, avec l'ombre de mon père comme seule image tant soit peu masculine. Monsieur Beauchamp était jeune, costaud, moustachu et bruyant. Il parlait fort, riait à gorge déployée et se lançait sans retenue dans les jeux des gars à la récré. Nous étions tous sous son charme, même les religieuses, à part les plus ratatinées, dont malheureusement notre titulaire, sœur Marie-Armand. Elle le surveillait de près, le rappelait régulièrement à l'ordre d'un petit ton sec et jetait généralement une douche froide sur toute discussion qui s'annonçait intéressante. Je ne sais pas quelle sorte d'évaluation elle lui a donnée à la fin de son stage, ni même s'il est resté dans l'enseignement, mais je sais qu'il a su repousser l'horizon de mon univers étriqué et claustrophobe.

C'est aussi en huitième année que j'ai vécu ma plus belle histoire d'amour. Elle s'appelait Michèle Lamoureux, s'assoyait au pupitre devant le mien – c'était le destin – et avait une longue chevelure châtaine et ondulée dans laquelle je rêvais de me plonger les doigts. Je ne lui ai jamais adressé la parole, sauf à la fin de l'année pour lui demander de signer mon annuaire. Elle avait écrit « Bonnes vacances! » et au lieu d'un point sous le signe d'exclamation, elle avait tracé un petit cercle qui aurait pu, sous un certain angle, avoir vaguement l'air d'un cœur. C'est dire combien je n'avais pas encore cessé d'entretenir rêves et illusions. Des années plus tard, alors que j'ai commencé à recevoir des notes avec de vrais cœurs dedans, j'ai regretté d'avoir si bien réussi à me détacher de tout que je n'étais plus en mesure d'en profiter pleinement. Je ne me souviens pas trop comment j'avais réussi à découvrir où elle habitait – c'était à quelques minutes de marche de l'école – mais je me souviens clairement des nombreuses heures que j'ai passées à déambuler près de chez elle, l'air faussement désinvolte, en espérant l'apercevoir. Je connaissais son quartier mieux que le mien, ayant eu tout le loisir d'étudier les devantures de chaque maison avoisinante dans les moindres détails. Un jour, perdu dans mes rêveries, je fus pris de court lorsqu'en redressant la tête, je la vis tout à coup à quelques pas devant moi. Je n'avais pas eu besoin de faire semblant d'être surpris. J'avais esquissé un petit signe de la main qui aurait pu vouloir dire n'importe quoi ou rien du tout et j'avais continué mon chemin du pas décidé de quelqu'un qui s'en va quelque part. Ce fut la dernière fois que je m'étais aventuré près de chez elle : je n'étais décidément pas fait pour toutes ces émotions !

Pendant que j'étais ainsi en proie à des amours prépubères, ma sœur cadette, de son côté, semait la pagaille dans la famille en s'amourachant d'un bum et en se mariant « obligée ». Personne ne se donna la peine de m'expliquer ce que cette expression voulait dire, et je ne comprenais pas pourquoi on organisait en grande hâte une cérémonie dans les formes si personne ne semblait vouloir que l'événement n'eût lieu ! Plus innocent que ça, tu meurs... Ma mère, qui ne ratait jamais une occasion de voler la vedette, s'en donna à cœur joie, devenant tour à tour victime éplorée, accusatrice inexorable, furie vengeresse ou martyre stoïque. C'était hallucinant et, je dois bien l'admettre, c'était du grand art. Elle blâmait mon père d'avoir été sourd, aveugle et indifférent, et de ne pas souffrir autant qu'elle. Elle blâmait ma sœur aînée d'avoir trahi sa confiance en ne trahissant pas le secret de sa sœur. Elle blâmait ma sœur cadette d'avoir été sotte, putain, naïve et de contribuer directement à sa mort prochaine et prématurée. Elle blâmait son futur gendre d'avoir exploité l'innocence de sa fille, et ses parents de l'avoir mal éduqué. Et elle me blâmait moi d'appartenir à la gent masculine, insulte ultime puisque j'allais indubitablement causer le malheur éventuel de quantité de jeunes filles sans défense et de leurs mères impuissantes. Et il y avait juste assez de vérité dans ses accusations pour que nous nous sentions tous coupables.

Ce fut, somme toute, un très beau mariage. La photo de groupe nous montre la mariée jolie et rougissante dans sa robe blanche qui dissimule admirablement un léger épaississement de la taille. Le marié, engoncé dans un habit un peu petit pour lui, regarde un peu de côté comme s'il pensait déjà à se sauver, ce qu'il allait d'ailleurs faire deux ans plus tard, disparaissant sans laisser d'adresse. Le père de la mariée a la bouche un peu amère, la tête renfoncée dans les épaules et les lunettes qui lui tombent sur le nez. La mère de la mariée, le port altier, élégante dans son style un peu vieillot, sourit dignement et toise directement la caméra, semblant défier du regard quiconque posera un jour les yeux sur cette tranche de vie. De moi n'apparaît qu'une partie du visage, oreille décollée bien en vue, alors que je suis à moitié caché derrière ma sœur aînée. On ne peut dire si je souris ou non.

Le 6 mai, quatre heures du matin (je n'arrive pas à dormir)

ALORS QUE LA SITUATION à la maison était déjà passablement tendue avant le mariage de ma sœur, les choses se sont nettement détériorées par la suite. Personne d'entre nous ne savait comment avoir de la peine et nous étions impuissants devant le trou béant laissé par le départ de la seule de la famille qui était un tant soit peu légère et qui réussissait parfois à nous faire rire. Ma mère s'est aigrie et enlaidie, déversant sa tristesse d'avoir été abandonnée sous forme de fiel envers nous qui étions toujours auprès d'elle. Mon père s'est rabougri en se réfugiant tous les soirs dans une torpeur alcoolique. Ma sœur aînée se mit à suivre un régime étrange à base de jus de carotte, qui la fit maigrir à vue d'œil et développer un teint vaguement orange, ce que personne à part moi ne sembla remarquer jusqu'à ce qu'elle perde connaissance durant un de ses cours et aboutisse d'urgence à l'hôpital. Cela nous donna droit à quelques séances de thérapie familiale où notre mère nous traînait tous de force pour pouvoir faire la démonstration au travailleur social qui nous recevait de tout ce qu'on lui faisait endurer. Pauvre homme ! Il n'était vraiment pas de taille et, quand nos regards se croisaient, j'imaginais qu'il éprouvait pour moi une bonne dose de compassion, ayant constaté sûrement que j'étais le moins fou de la gang. J'ai toutefois résisté sagement à tous ses efforts pour me faire participer à la conversation. J'avais assez d'expérience pour savoir qu'il ne pourrait rien sortir de bon d'un échange plus honnête avec ma mère. Mon père et moi rivalisions donc de mutisme pendant que ma mère ergotait, que ma sœur pleurnichait et que le thérapeute dépassé se contentait de hocher la tête et d'offrir de temps en temps quelque cliché insipide. Ce fut finalement mon père qui nous sauva tous de ce supplice hebdomadaire en décrétant qu'il n'irait plus et que le sujet était clos. Ma mère fit semblant de s'en offusquer et se drapa du beau rôle de celle qui aura tout fait pour sauver sa fille, mais qui ne pouvait quand même pas tout faire toute seule. Ma sœur recommença à manger plus normalement, sans engraisser pour autant – j'appris des années plus tard qu'elle se faisait vomir régulièrement – et moi, je m'installai de plus en plus dans mon rôle d'observateur.

J'observais les membres de cette famille que j'avais du mal à considérer comme la mienne. J'observais leurs réactions, leurs gestes, leurs attitudes, je notais leurs propos, leurs échanges prévisibles et ritualisés, je devinais leur inconfort, leurs blessures cachées, leurs déceptions. Je m'amusais à recopier dans mon cahier des pages de dialogue décousu, absurde, mesquin, qui exposaient à une lumière crue les petites misères de cette famille comme les autres.

Mère : Marie-Ange, veux-tu d'autres pommes de terre ?
Père : Elles sont trop salées, comme d'habitude.
Mère : Marie-Ange les aime comme ça.
Fille (*Son indéchiffrable.*) : mm-mm
Mère (*Se tourne vers le père avec un air triomphant.*) : Tu vois bien.
Père (*Se lève, va jeter ses pommes de terre dans la poubelle et vient se rasseoir.*) : Si tu les veux pas, tes patates, fille, tu peux les jeter.

Mère : C'est pas comme ça qu'elle va retrouver la santé ! Maudit sans-cœur ! Mange tes patates, Marie-Ange.

Fille (*Prend une bouchée du bout des lèvres.*) : J'ai pas tellement faim ce soir.

Mère : T'as jamais faim. Force-toi un peu. Tiens, je vais t'en donner juste un peu plus.

Père (*Se lève, met son assiette dans l'évier et quitte la pièce.*)

Mère (*Criant.*) : C'est ça, va-t'en, laisse-moi toute seule avec les problèmes, comme d'habitude.

Père (*Répond sans hausser le ton quelque chose que personne n'entend.*)

Fille (*Pleurant.*) : J'ai juste pas faim. C'est pas un drame. J'ai juste pas faim.

Mère : Je passe une heure à faire un bon repas pour que tu manges bien et que tu retrouves la santé. Parce que je m'inquiète pour toi, moi, je m'en fous pas, moi, je fais ce que je peux, moi. Penses-tu que ça m'amuse d'être après toi comme ça ? Penses-tu que j'aimerais pas mieux tout laisser là et aller m'asseoir dans le salon moi aussi ? As-tu essayé de te mettre un peu à ma place ? (*Se tournant vers le fils.*) Veux-tu bien arrêter de me regarder comme ça, toi, espèce d'effronté ? Tu trouves ça drôle, j'imagine ? Tu t'en fous bien, toi, que ta sœur se laisse mourir de faim, que ton père soit un maudit lâche pis que ta mère se désâme à essayer de sauver la famille !

Fille (*Se met à engloutir rageusement le tas de patates pilées.*) : T'es contente, maintenant ? J'les ai mangées, mes patates. (*Elle se lève de table et va s'enfermer dans la salle de bains en claquant la porte.*)

Mère (*Regardant au ciel.*) : Ça s'peut-tu faire une crise de même pour une niaiserie pareille !

Je ne sais pas ce qui me poussait au juste à retranscrire ensuite presque mot à mot ces scènes ridicules. Peut-être que cela me confirmait que je n'en faisais pas vraiment partie, que ça ne m'atteignait pas vraiment puisque je n'étais là que comme spectateur objectif. J'étais probablement mû par la même compulsion qui poussait ma sœur à se faire vomir, mon père à se saouler ou ma mère à hurler. J'écrivais à toute vitesse, jusqu'à en avoir mal à la main tellement je tenais mon crayon serré. J'écrivais d'un seul souffle, comme si j'étais en transe, et j'arrêtais subitement lorsque j'avais tout dit, tout noté, dans les moindres détails. Il m'arrivait rarement d'ajouter autre chose, une réflexion, un commentaire ou une émotion. Il me semblait que c'était complet en soi : qu'est-ce que j'aurais pu dire de plus ?

Je ne suis évidemment pas dans le même état aujourd'hui, alors que je me perds en conjectures de toutes sortes. Qu'est-ce que je cherche au juste ? Je croyais écrire pour vous expliquer mon geste, à vous, qui que vous soyez, et voilà que je semble écrire plutôt pour moi, comme si je tentais de mettre le doigt sur quelque chose qui m'échappe ou de refaire connaissance avec l'enfant que j'étais. Qu'est-ce que ça change au fond ? Qu'est-ce que cet enfant a à voir avec l'homme de cinquante ans que je suis aujourd'hui ? J'ai toujours trouvé inutile tout retour en arrière. J'ai connu plusieurs femmes qui en faisaient une spécialité, passant souvent des heures à analyser des événements récents ou lointains, pour comprendre, disaient-elles. Plutôt, me semblait-il, pour éviter d'avancer et justifier leur immobilisme. Pour s'accrocher à des illusions, des récriminations, des « J'aurais donc dû », des « Si j'avais su ». Pour prouver que les autres étaient responsables de leur malheur, pour se conforter dans leur rôle de victime, pour ne pas prendre les décisions qui s'imposaient dans l'immédiat. Est-ce tout ça que je fais aujourd'hui ? Je m'accroche au passé pour éviter de poser un geste ultime, en me faisant croire que c'est pour mieux comprendre… Alors que je sais bien, et ce depuis longtemps, qu'il n'y a rien à comprendre! Et pourtant, j'ai commencé quelque chose que je ne veux pas interrompre: je veux aller jusqu'au bout de cette démarche, écrire jusqu'à ce que j'en aie des crampes dans les doigts (clavier oblige) et que je m'arrête subitement un moment donné parce qu'il n'y aura plus rien à dire. Je n'en suis pas encore là.

Le 6 mai, sept heures du soir

Je quittai l'école primaire avec soulagement et sans le moindre regret. J'avais l'impression d'avoir traversé une dure épreuve d'endurance et de m'en être sorti un peu plus aguerri, pas mal plus méfiant et un peu moins naïf. Le passage à l'école secondaire, sans se faire complètement sans heurts, ne fut donc pas trop difficile. Mes attentes n'étaient pas très élevées et ainsi, je ne risquais pas d'être trop déçu. Je fus même, à plusieurs points de vue, agréablement surpris. J'appréciais me retrouver dans un monde masculin, où il me semblait qu'on allait finalement traiter des choses importantes. J'étais aussi soulagé de ne plus avoir à survivre aux récréations. Mon temps devenait tout à coup complètement structuré, de la messe du matin jusqu'à la période d'étude supervisée en fin d'après-midi. Il y avait bien l'heure du midi qui demandait d'être négociée avec un certain doigté mais en me joignant à quelques activités organisées (club d'échecs, club de bridge, – j'évitais les sports comme la peste –), je pus me créer un réseau limité mais satisfaisant. La charge de travail était passablement lourde, ce qui avait l'avantage de remplir mes soirées et une bonne partie de mes fins de semaine, prétexte idéal pour m'enfermer dans ma chambre et n'en ressortir qu'aux heures des repas pour le traditionnel supplice familial.

Alors que certains cours étaient carrément abrutissants, d'autres étaient stimulants et encourageaient même la réflexion. La plupart d'entre nous n'avaient jamais été appelés à penser. Cela ne faisait pas partie des habiletés jugées importantes dans notre éducation au primaire, et rares étaient les parents suffisamment outillés ou éclairés pour stimuler le développement de la réflexion chez leur enfant. Au mieux, les premiers balbutiements de la pensée étaient ignorés, au pire, ils étaient étouffés, ridiculisés, interdits. Chez nous, j'avais assez souvent observé mon père mettre en boîte une de mes sœurs avec une question ou une remarque condescendante pour ne pas même oser une opinion. Quant à ma mère, discuter avec elle, c'était comme se défendre contre une pieuvre : dès qu'on réussissait à se défaire d'un tentacule, il y en avait deux ou trois autres qui s'entortillaient autour d'un bras, d'une jambe, du torse, au point qu'on ne savait plus où donner de la tête et qu'on finissait par cesser de se débattre, étourdi, épuisé, défait. Tout ça pour dire que j'avais beaucoup observé, mais que j'avais très peu réfléchi. Ce nouveau pouvoir me donnait un peu le vertige. Qu'en était-il donc de la vérité étroite, dogmatique et assommante du petit catéchisme gris de mon enfance ? Mes enseignants étaient pourtant tous des prêtres ou en voie de le devenir. Comment osaient-ils donc prendre une vérité apparemment absolue et l'examiner sous tous ses angles pour en faire ressortir une nature profonde, riche, complexe et souvent ambiguë ? J'admirais la solidité de leur foi qui, loin de fuir les questions, le doute ou l'incertitude, semblait les inviter, les affronter de bon gré, les défier ouvertement, par bravade, par rigueur intellectuelle ou par folie, je n'en étais pas trop sûr.

Je ne voudrais pas donner l'impression que mes profs étaient tous de cette trempe. Là comme ailleurs, il y avait des esprits étriqués, frileux, sottement crédules ou paresseux qui s'enveloppaient de leurs dogmes comme d'une chape protectrice. Mais, curieusement peut-être et heureusement sans doute, j'en ai rencontré plusieurs qui ne reculaient devant aucune question honnête, aussi embêtante fût-elle. Je me souviens entre autres du père Roger, qui nous enseignait le français en nous bombardant de questions et en invitant les nôtres. Les premiers mois, il se démenait beaucoup pour n'extirper de nous que des bribes encore informes, mais il avait persévéré et nous avions pris peu à peu confiance, en nous et en lui. Nous nous étions mis à oser, oser tantôt une opinion, tantôt une réponse, tantôt une question. Je le vois encore clairement s'arrêter net devant une main levée et diriger toute son attention vers celui qui s'avançait ainsi. Il penchait un peu la tête et prenait tout le temps qu'il fallait pour bien écouter, demandant parfois des éclaircissements ou faisant préciser la question. Il semblait ensuite la savourer, comme on fait rouler une gorgée de vin dans la bouche pour en dégager les saveurs. Il s'accordait ensuite un moment de réflexion et sa réponse était plus souvent qu'autrement une nouvelle question qui nous invitait à pousser plus loin. Une question au sujet de l'accord d'un participe passé pouvait tout aussi bien se transformer en discussion sur le rôle des lois dans une société que donner lieu à une exploration du lien entre le fond et la forme dans l'expression artistique. Nous étions heureux de le suivre dans ces digressions, convaincus que nous échappions à la leçon de grammaire, sans prendre conscience du fait que nous étions en train d'apprendre beaucoup plus.

Je crois que c'est surtout par admiration pour ces hommes que je trouvais si courageux que je suis mis à avoir la foi. Ça me permettait aussi d'échapper, au moins temporairement, à la sensation vertigineuse qui m'envahissait souvent quand je me rendais compte qu'il n'y avait rien de sûr. Peut-être mon destin aurait-il été tout autre si j'avais réussi à tolérer le vertige et ainsi fait face plus tôt à mon insignifiance. Pourtant je m'étais fait traiter d'insignifiant assez souvent déjà dans ma courte vie pour commencer à m'habituer à cette idée! À vrai dire, et il ne me servirait à rien de mentir à ce point-ci, je n'aime pas repenser à ma ferveur religieuse de ces années-là: je me trouve niaiseux et ridicule. Ça me fait vaguement honte et j'ai du mal à me reconnaître dans cet adolescent idéaliste qui priait avec recueillement et croyait en un Dieu infiniment bon. Ce n'était pas le Dieu de mon enfance, qui m'était toujours apparu comme un personnage de conte, assez peu réel. J'avais appris les prières comme j'avais appris les tables de multiplication, sans m'arrêter à ce que ça voulait vraiment dire « 8 fois 6 », « 3 fois 9 » ou « délivrez-nous du mal », sans penser, quoi. Mais là, tout à coup, je réfléchissais à chaque mot des prières. Je cherchais des liens, des réponses, des balises. Et il y avait toujours quelqu'un prêt à jouer le rôle de conseiller spirituel, l'espace de quelques heures, quelques semaines ou quelques années. Certains cherchaient en moi l'éveil d'une vocation et tentaient de l'attiser; d'autres, pédagogues de l'âme, se délectaient dans le rôle de formateur, de guide, de mentor; d'autres encore cherchaient à se frayer un chemin dans mon intimité et quêtaient confidences, paroles tendres ou caresses escamotées.

Je retrouvais le même sentiment d'extase qu'à l'époque où, éperdument épris de Michèle Lamoureux, je passais des heures à marcher dans son quartier, heureux de la sentir proche. Je me remis d'ailleurs à faire de longues promenades, sans but précis, juste pour me laisser imprégner de cette présence divine qui m'habitait de plus en plus. On me disait que j'étais aimé et j'avais désespérément besoin de le croire. Toutes mes perceptions étaient maintenant filtrées par mon sentiment de communier avec Dieu. Je regardais mes parents avec un mélange de détachement et de pitié. La froideur de mon père et la rage de ma mère ne m'atteignaient plus puisque j'étais engagé sur une autre voie. Je constatais que, bien qu'ils observassent (pardonnez-moi, j'ai toujours eu un petit faible pour l'imparfait du subjonctif!) les pratiques religieuses prescrites, ils n'avaient pas laissé la Lumière les pénétrer. Je ne poussai pas l'outrecuidance jusqu'à tenter de les éclairer, mais je me mis à prier pour eux. C'est probablement le moment de ma vie où je me suis le plus rapproché du bonheur. Ça ne pouvait évidemment pas durer.

La religion avait été ma drogue; je vécus la perte de la foi comme un long et difficile sevrage. Il aurait probablement été plus facile d'en finir une fois pour toutes, en un mouvement de révolte ou de désillusion profonde. Ce ne sont d'ailleurs pas les occasions qui manquèrent d'en arriver là. Un à un, les profs que j'admirais sans bornes se révélaient n'être que des humains bien ordinaires, hypocrites, lâches ou mesquins. Des rumeurs circulaient pour nous avertir d'éviter de se retrouver seul avec le père François, celui-là même qui avait toujours accueilli avec sensibilité mes confidences les plus intimes. Le père Jean-Marie, qui prêchait avec tant de fougue et de conviction, avait quitté l'école en milieu d'année, apparemment amoureux d'une jeune et jolie religieuse. Quant au père Roger, dont l'esprit incisif et le jugement nuancé m'avaient tant de fois inspiré, il se montra d'une froideur impitoyable lorsqu'un de nos camarades, en un geste de désespoir criant, s'ouvrit les veines. Chacune de ces situations aurait donc pu suffire à déclencher chez moi une « crise de foi », mais j'avais la couenne dure. J'étais non seulement habitué à ce que les adultes me déçoivent, mais je m'y attendais. J'accueillais donc ces preuves de la faiblesse humaine avec, il me semble, une certaine sagesse teintée de cynisme. Je n'étais certes pas surpris, et si j'étais déçu, c'était plutôt de m'être fait prendre encore une fois. Ce ne sont donc pas les humains qui furent responsables de l'érosion graduelle de mes convictions religieuses. Je pense que, tout simplement, ma foi a peu à peu cessé de faire effet. Comme l'héroïnomane qui doit s'injecter de plus en plus souvent des doses de plus en plus fortes de sa drogue de choix, il me fallait me démener de plus en plus pour retrouver un état de grâce de moins en moins long et de moins en moins profond. Je multipliais les prières, les lectures, les confessions et les pénitences, et le sentiment d'extase que j'atteignais jadis si aisément me filait entre les doigts. Quand, en désespoir de cause, j'ai arrêté d'essayer, je me suis senti soulagé. J'ai bien eu quelques rechutes au cours des mois, voire des années qui ont suivi, des tressautements de culpabilité, des résolutions aussi soudaines qu'éphémères de me remettre à prier ou à me mortifier, quelques vagues de nostalgie aux relents de cierges et d'encens, mais à la fin du secondaire, j'étais complètement guéri, libre de tout regret et de tout doute.

Le 7 mai, une heure du matin

AUJOURD'HUI, alors que je contemple ma mort imminente, je suis bien content de ne pas croire en un après, un au-delà quelconque, la réincarnation, l'immortalité de l'âme, les esprits, le ciel et l'enfer, les anges et les fantômes, le paradis, le nirvana, le jugement dernier. Je meurs, c'est tout, ça s'arrête là. Il ne restera de moi que les quelques souvenirs que les gens qui m'ont connu garderont, et ces souvenirs s'estomperont assez vite. Il ne restera de moi que les quelques traces que j'aurai laissées en parcourant mon chemin. Je ne crois pas d'ailleurs que ces traces aient été très profondes. J'ai certainement contribué à appauvrir les ressources de la planète : j'ai gaspillé de l'eau potable, brûlé des combustibles fossiles, acheté des produits fabriqués par des ouvriers du tiers-monde, exploités et sous-payés. J'ai sûrement aussi laissé quelques traces positives, généralement sans m'en rendre compte : un mot d'encouragement au bon moment, un travail fait avec soin, une opinion bien ficelée qui a pu faire réfléchir, ce qui, j'imagine, est toujours une bonne chose ou presque. Ce n'est certes pas un bilan très reluisant. Je ne serais pas passé sur cette planète que cela n'aurait pas changé grand-chose, et bien que je croie que la plupart des gens en arriveraient à la même conclusion s'ils réfléchissaient honnêtement à la question, je n'en tire aucun réconfort. Cela m'enlève même la prétention d'être plus insignifiant que les autres ! N'allez pas vous imaginer non plus que cette constatation me fait beaucoup souffrir.

Plus maintenant, en tout cas. Il fut un temps où je me raidissais contre cet état de fait. J'aurais voulu que ma vie ait de l'importance, une valeur pour quelqu'un d'autre que moi, un impact au-delà de ma mort. Je n'ambitionnais pas de gagner le prix Nobel, mais au moins d'apporter une contribution appréciable, quelque chose qui me survive, qui donne un sens au fait que je sois passé sur la planète. Bien des gens règlent ce problème en faisant un ou des enfants. Si au moins ils apportaient autant de soin à s'en occuper qu'à les mettre au monde, peut-être pourrait-on, en effet, voir là une certaine contribution à l'humanité !

Saint Pierre : Qu'avez-vous fait de votre vie ?
Humain (*Ton un peu niais.*) : Ben, j'ai fait trois enfants.
Saint Pierre : Et puis ?
Humain : Et puis quoi ? C'est tout. C'est comme c'est écrit dans la Bible : Allez et procréez. J'ai procréé !
Saint Pierre : Et ces enfants, où sont-ils aujourd'hui ?
Humain : Vous le savez sûrement mieux que moi. Je les ai un peu perdus de vue après mon divorce.

Je me dis que j'ai au moins eu la sagesse de ne pas m'imposer comme père à qui que ce soit, enfin presque, mais ça fera l'objet d'un autre chapitre. Nous n'en sommes pas encore là. Dans mon cas, lorsque je m'amuse à imaginer la rencontre avec le mythique saint Pierre de mon enfance, la situation vire assez vite à l'absurde.

Saint Pierre : Qu'avez-vous fait de votre vie ?

Moi : Rien.
Saint Pierre : Rien ?
Moi : Rien.
Saint Pierre : Il doit bien y avoir quelque chose. Cherchez un peu.
Moi : Non, vraiment, je ne vois pas.
Saint Pierre : Et vous voudriez être admis au paradis ?
Moi : Non, pas vraiment.
Saint Pierre : Le purgatoire, alors ?
Moi : Non plus.
Saint Pierre : Vous ne voulez quand même pas que je vous envoie en enfer ?
Moi : Non, pas particulièrement.
Saint Pierre : Vous voudriez aller où, alors ?
Moi : Nulle part.
Saint Pierre : Nulle part ?
Moi : C'est ça, nulle part.
Saint Pierre : C'est impossible.
Moi : Comment ça, impossible ? Je me suis tué parce que je voulais être mort, pas pour aller vivre ailleurs.
Saint Pierre : Vous vous êtes tué ? C'est sérieux, ça. C'est un péché mortel, vous savez. Vous êtes-vous repenti avant de mourir ?
Moi (*Sarcastique.*) : Non, mais je commence à le regretter de plus en plus !
Saint Pierre : Avec une telle attitude, vous ne me donnez pas d'autre choix que de vous envoyer en enfer.
Moi : C'est quoi, l'enfer ?
Saint Pierre : C'est de ne pas voir le visage de Dieu.
Moi (*Horrifié.*) : Oh ! non, vous allez donc me renvoyer sur Terre !

Bon, je digresse encore. C'est un peu ça la vie, non ? Une longue digression entre la naissance et la mort. Tant mieux si la digression comporte des moments de plaisir, de découverte ou de divertissement. Ce n'est pas que je n'en aie pas eu de ces moments, mais ils ne furent jamais très nombreux et ils se font malheureusement de plus en plus rares. Moi qui fus un jour champion de la masturbation, j'ai maintenant du mal à bander. Moi qui avais toujours eu une curiosité intellectuelle frisant parfois l'obsession, il n'y a plus rien qui me passionne, plus rien qui m'intéresse même. Moi qui étais féru de cinéma, d'échecs, de bridge et de lecture, je ne trouve rien de suffisamment captivant pour y consacrer plus que quelques minutes, parfois une heure ou deux. Pourtant, cela fait plus de trois jours que j'écris presque sans arrêt, apparemment fasciné par mon sujet. Serais-je donc un narcissique qui s'ignore ? Rien ne m'intéresserait donc, sauf ma petite personne ? J'ai même été surpris à deux reprises depuis que j'écris de me sentir bander bien dur, presque douloureusement. Comment expliquer cette montée de sève dans cet arbre que je croyais desséché ? Je ne comprends pas ce qui m'arrive. Je sais juste que je ne peux pas, non, je ne veux pas m'arrêter.

Le 7 mai, en fin d'avant-midi

LORSQUE LA FERVEUR RELIGIEUSE qui m'avait habité au début du secondaire me lâcha, je pus me consacrer sans retenue à ma nouvelle passion, l'euphémique « plaisir solitaire ». Jusque-là teintées de culpabilité, mes séances de masturbation se multiplièrent et s'intensifièrent. Je n'avais jamais, durant ma courte vie, connu de sensations plus agréables. Quoi qu'en dise Freud, je doute fort que le sein mesquin que ma mère se sentit obligée de me laisser téter pendant un mois ou deux m'ait procuré un tel bonheur. Je me branlais vigoureusement et j'éjaculais joyeusement. J'avais parfois, après l'orgasme, une courte période durant laquelle le réflexe de culpabilité refaisait surface, mais j'avais tôt fait de le balayer du revers de la main (si vous me pardonnez l'expression !). Je ne croyais plus à ces balivernes, j'étais libre. La seule ombre au tableau était le regard de ma mère. Lorsque je sortais de ma chambre après m'être masturbé, j'avais l'impression qu'elle savait et qu'elle me méprisait. Elle ne m'en a jamais parlé, évidemment, pas plus que mon père. Comme dans la plupart des familles de ma génération, on ne parlait pas de sexualité à la maison, sauf pour de vagues avertissements et des prédictions funestes. Mon éducation avait été laissée à la proverbiale « cour d'école », ce qui, dans mon cas, ne m'avait pas avancé du tout. Il y avait bien eu un cours de biologie en neuvième année, qui m'avait fourni quelques pistes et beaucoup plus de questions que de réponses. J'en avais tout de même déduit que ce que je faisais en cachette était une pratique assez répandue et suffisamment subversive pour qu'on se donne la peine de tenter de la réprimer. Avec le recul, j'ai compris que les religieux, eux-mêmes torturés par leurs élans irrépressibles, s'efforçaient d'étouffer l'épanouissement sexuel de leurs élèves par un mélange d'envie, de culpabilité, de sadisme et d'obsession.

Ma mère, c'était un peu différent. Elle n'était, selon toute évidence, pas très portée sur la chose et elle cherchait peut-être à se venger sur les mâles de son entourage (en l'occurrence mon père et moi) des affronts répétés que sa condition de femme lui avait fait subir. Elle ne manquait aucune occasion d'afficher son mépris pour les hommes, à qui elle reprochait à la fois d'être les esclaves de leurs instincts et de manquer de couilles. Elle n'en était pas à une contradiction près. J'avais bien senti depuis ma tendre enfance que le fait que je sois un garçon la dérangeait profondément. Elle adoptait parfois avec moi des comportements de coquetterie outrée pour ensuite m'abreuver d'insultes ou me gifler parce que j'avais un regard « effronté ». Maintenant que je laissais régulièrement dans mes draps la preuve tangible de mes pratiques honteuses, il me semblait qu'elle me détestait encore plus. Elle déclara assez rapidement d'ailleurs qu'à l'âge que j'avais, elle n'avait plus à s'occuper de ma « soue à cochon » et que je n'avais qu'à faire mon lavage moi-même, ce que j'accueillis avec soulagement. Je pris même un malin plaisir à laver mes draps plusieurs fois par semaine, juste pour voir sa réaction. Elle ne passait aucun commentaire, mais elle pinçait les lèvres et détournait les yeux. Mon instant de triomphe était de courte durée : je n'étais pas encore suffisamment carapacé (un autre mot qui n'en est pas un mais tant pis), je n'étais pas encore suffisamment carapacé, disais-je donc, contre le mépris de ma mère. Cela ne refréna pas mes séances masturbatoires, heureusement, mais le jugement sévère qui pesait sur moi me laissait tout de même un certain malaise. J'ai longtemps eu, moi aussi, un regard très critique envers les hommes en général et moi en particulier. Et dans mes relations avec les femmes, j'ai toujours préféré les laisser prendre l'initiative de tout contact sexuel et accommoder mon désir au leur. Je ne voulais surtout pas être un de ces hommes qui traitent les femmes comme des poupées gonflables. Je me voyais plutôt dans le rôle du chevalier servant, prêt à tout sacrifier pour le bonheur de sa belle.

Mes fantasmes sexuels étaient au départ assez peu élaborés et il suffisait de bien peu pour provoquer chez moi un état d'excitation intense et fébrile : une jupe qui se retrousse un peu lors d'un croisement de jambe, un chandail moulant, une publicité de soutien-gorge, il n'en fallait pas plus pour alimenter ma banque d'images érotiques. Les « pensées impures » que je confessais déjà depuis belle lurette sans trop savoir de quoi il s'agissait envahissaient de plus en plus mon quotidien. J'étais souvent dérangé par une érection aussi lancinante qu'embarrassante à des moments inopportuns et j'avais toujours hâte de pouvoir me retrouver dans ma chambre la porte fermée pour enfin me soulager. Je vécus, pendant plusieurs années, un décalage important entre ma vie sexuelle autoérotique et mes expériences avec les filles. Dans le premier volet, j'étais enthousiaste, sûr de moi, fonceur, spontané et persévérant. Avec les filles, j'étais inhibé, timide, gauche et hésitant. Il faut dire que mes occasions de côtoyer le beau sexe étaient assez rares. À part mes sœurs qui ne comptaient pas, j'avais une voisine de mon âge avec qui, enfant, j'avais passé plusieurs bons moments durant les vacances jusqu'à l'été de nos treize ans où elle m'était tout à coup apparue différente, longue et mince, avec quelque chose de secret dans le regard. Je ne savais plus comment l'aborder et j'avais pris mes distances, ce qui allait vite devenir chez moi un *modus vivendi.* Une fois, j'avais accompagné à une fête la petite sœur d'une amie de Marie-Ange, dans une de ces chaînes tordues d'échanges de services qui devait me mériter je ne me souviens plus trop quelle faveur. Je ne sais plus si la fille était jolie ou non, mais je me rappelle clairement de son chandail rose pâle qui mettait en évidence deux boutons de seins qui me troublaient au plus haut point. Je transpirais abondamment et je bredouillais n'importe quoi en réponse à ses questions. Elle voulut danser et je ne sus pas me défiler. Alors que je restais planté devant elle les bras ballants, elle s'avança, encercla mon cou de ses bras et se mit à se dandiner avec entrain. Je sentais son souffle chaud près de mon oreille et je laissai mes mains se poser sur sa taille. J'essayais de suivre un peu son mouvement, me sentant complètement ridicule. À la fin de la soirée, lorsque je l'avais raccompagnée chez elle, elle avait plaqué ses lèvres sur ma bouche en un baiser chaud et mouillé, et les avait laissées là sans bouger pendant de longues secondes. J'étais resté figé, les lèvres bien serrées contre cet assaut, et après son départ, j'avais cédé à l'impulsion de m'essuyer aussitôt la bouche sur ma manche de manteau. Curieusement, cette rencontre avait ensuite occupé mes fantasmes masturbatoires pendant des mois. Le fossé entre l'intensité de mes élans solitaires et l'ambivalence que je ressentais en présence des filles se creusa de plus en plus alors que je fuyais toute situation potentiellement embarrassante. J'évitais les filles autant par crainte de leur regard critique que par la certitude de mon incompétence.

Je ne sais trop comment j'ai réussi malgré toutes ces préoccupations obsessives à réussir mon secondaire. Mes notes avaient certainement chuté en douzième et en treizième année, mais aidé par mon intérêt pour la lecture et une certaine facilité dans les langues, je m'en étais pas si mal tiré. Je me préparais à entrer à la faculté des arts de l'Université d'Ottawa sans avoir la moindre idée d'un choix de carrière, mais bien déterminé à me débarrasser au plus vite d'une virginité aussi encombrante que gênante. Un vent de changement secouait les structures en place et j'étais prêt à me laisser emporter. Il n'y avait plus rien qui me retenait, ou presque. C'est ce moment-là que mon père choisit pour mourir.

Le 8 mai, six heures du matin

LORSQUE JE REPENSE à cette période de ma vie, je me souviens avant tout d'une grande révolte. La maladie de mon père me dérangeait. On lui avait diagnostiqué un cancer déjà avancé et il avait, peu de temps après, été admis à l'hôpital pour la première et dernière fois de sa vie. J'avais dix-sept ans. Je venais de commencer mon premier emploi d'été, dans une épicerie Loblaws. Je n'avais pas le goût de passer mes temps libres à regarder quelqu'un mourir. Mes visites au chevet de mon père se firent donc très sporadiques et de plus en plus brèves. La plupart du temps, il ne s'apercevait même pas de ma présence, occupé qu'il était à se débattre pour prendre sa prochaine respiration. Une fois quand même, nos regards s'étaient croisés et il m'avait vu: j'avais alors lu dans ses yeux exorbités une si grande peur que je n'avais pas pu l'endurer et que je m'étais esquivé. Je me disais que j'aurais dû sentir quelque chose d'autre que de la répugnance, que c'était mon père après tout, qu'il serait normal que je sois un peu triste, que j'aie de la peine sinon pour moi au moins pour lui. Mais je ne sentais rien de tel. En fait, dans la mesure où je me tenais loin de l'hôpital, je ne sentais rien du tout, à part ce profond agacement. J'en voulais à mon père de m'imposer sa maladie et sa mort prochaine. J'en voulais aux infirmières de me regarder avec leur compassion préfabriquée.

J'en voulais à mes sœurs d'aller le voir si souvent et de pleurer tant. Et par-dessus tout, j'en voulais à ma mère que ce ne soit pas elle qui soit en train de crever.

Je n'étais pas à l'hôpital quand mon père est mort. Il ne m'avait rien dit d'important ou de profond avant de mourir. Je n'avais rien à lui dire moi non plus. Je suis arrivé à la maison après le travail et ma mère m'apprit la nouvelle avec sa délicatesse habituelle, c'est-à-dire en me la garrochant à la figure comme si c'était de ma faute.

Je dois avouer qu'on m'avait fait le message plus tôt dans la journée, à l'épicerie: je devais me rendre à l'hôpital dès que possible, mon père était plus mal, c'était urgent, et tout et tout. J'avais plutôt choisi de terminer mon quart de travail et de rentrer bien tranquillement par la suite. La nouvelle ne me prit donc pas par surprise, même qu'elle me soulagea. Je sondai une nouvelle fois mes sentiments pour y découvrir un peu de tristesse ou un soupçon de culpabilité, mais rien à faire. Ma mère, déçue sans doute d'avoir manqué son effet, s'acharna sur moi pendant un long moment, m'accablant de reproches. Elle finit par s'épuiser et s'effondra ensuite dans un de ses rares moments de faiblesse: les yeux creux, le regard vide, le visage défait. Un filet de salive coulait de sa bouche entrouverte et je me mis à chercher une façon de quitter la pièce. Le silence se faisait de plus en plus assourdissant. Je regardais avec fascination la bave qui dégoulinait sur le menton de ma mère. J'étais dégoûté mais incapable de détourner les yeux. Je cédai éventuellement à l'impulsion irrésistible de saisir un mouchoir pour le lui tendre en posant doucement une main sur son épaule. Elle sursauta et me repoussa violemment, ce qui eut l'avantage immédiat de me permettre de me réfugier dans ma chambre en toute impunité.

J'en ressortis le moins possible au cours des jours qui suivirent, faisant honneur à ma réputation d'égoïste de la pire espèce. De toute façon, je n'avais rien à contribuer aux émotions qui débordaient dans la cuisine ni aux conversations plus feutrées du salon. J'avais été saisi, lors d'une de mes brèves excursions hors de ma chambre, en apercevant un de mes oncles bien campé dans le fauteuil de mon père et en l'entendant lancer la sorte d'énoncé tranchant et sans nuance dont son frère était friand. Il y avait eu une pause dans la conversation quand on m'avait aperçu debout là, et j'avais dit à mon oncle : « Tu es assis à sa place. » (Comme je crois vous l'avoir déjà mentionné, l'art de dire des évidences est une de mes spécialités.) Personne n'avait répondu. Une de mes tantes s'était avancée vers moi pour m'entraîner vers la cuisine : « T'es tout pâle. Tu dois avoir faim. » Mais je n'avais ni faim, ni soif, ni la moindre envie de me retrouver entouré de femelles piaillantes et braillardes. J'ai prétexté une migraine pour retourner m'enfermer dans ma chambre, et c'est là que j'ai compris tout à coup ce que l'absence subite de mon père allait changer dans ma vie. Nous étions complices malgré nous et sa présence, même passive et silencieuse, agissait comme un tampon entre ma mère et moi. Nous étions tous les deux ses victimes, lui par résignation, moi par fatalité. Lui mort, j'allais me retrouver vraiment seul dans le giron de ma mère.

Mes sœurs, qui avaient accouru pour la soutenir dans son drame, allaient déguerpir dès que possible, l'aînée pour reprendre ses études en pharmacie à l'Université de Montréal, et la cadette pour retrouver le dernier de sa longue lignée d'amoureux délinquants, alcooliques, violents ou les trois à la fois. Elles étaient aux petits soins pour elle, rivalisant de sollicitude et d'empressement. C'était à qui lui offrirait la première une compresse froide, une tisane calmante, un massage de pieds ou une couverture pour les épaules. Marie-Ange voyait aux arrangements funéraires, légaux, financiers et aux autres détails logistiques. Élisabeth pomponnait notre mère, la distrayait, lui apportait des friandises et réussissait à la dérider un peu. Ma mère trônait au milieu de tout ça, semblant accepter à regret qu'on s'occupe d'elle, protestant faiblement qu'elle ne voulait surtout pas qu'on se dérange pour elle, créant pièce par pièce son nouveau rôle de veuve digne, forte devant son épreuve, profondément blessée, mais s'élevant au-dessus de sa souffrance pour continuer sa vie puisqu'il le faut bien. J'observais ses réactions avec une bonne dose de méfiance développée à force d'abus de confiance, de mensonges flagrants et de petites trahisons. Je me disais qu'elle avait probablement un certain degré de « vraie » peine, mais comment la reconnaître sous toutes ces couches de faux-semblants ? Je m'étonnais devant la compassion qu'elle semblait inspirer à mes sœurs, qui l'avaient pourtant connue autant que moi. Avais-je imaginé ses critiques constantes envers mon père, ses commentaires dénigrants, sa mesquinerie, sa cruauté même ? Avais-je exagéré son égocentrisme, son hypocrisie, son mépris ? Avais-je perçu mon père comme une victime impuissante parce que c'est comme ça que je me sentais moi-même ? Je doutais de ce qui m'était apparu si évident quelque temps auparavant. Avec le recul et l'expérience de plusieurs relations amoureuses (à peu près toutes dysfonctionnelles, mais là n'est pas la question), je sais maintenant qu'il est à peu près impossible d'évaluer un couple de l'extérieur. Ce qui s'était passé entre mes parents dans leur intimité restait un mystère même pour le spectateur de première rangée que j'avais été. Je fus d'ailleurs surpris de découvrir au cours des années, au fil de conversations à bâtons rompus avec ma mère, mes sœurs, mes tantes, plusieurs pans de leur histoire qui m'avaient complètement échappé. Et moi qui me croyais fin observateur ! Faut croire que je m'étais leurré, encore une fois. Pas que mes observations aient été tout à fait hors cible, mais elles étaient loin de dépeindre la réalité objective que je croyais si bien cerner. Malgré tous mes efforts pour atteindre une neutralité détachée, j'étais, comme tout être humain, désespérément nombriliste dans mon point de vue, ce qui teintait toutes mes perceptions. Aussi bien le reconnaître. Ne me croyez donc que lorsque je vous parle de moi. Pour les autres, il faudrait leur demander et espérer bien sûr qu'ils aient la rigueur nécessaire et le souci de la vérité pour vous répondre honnêtement. Et puisque c'est moi qui ai choisi de faire cet examen de conscience (que voulez-vous, on n'échappe pas à son éducation religieuse !), revenons à la façon dont j'ai vécu la mort de mon père.

C'était la première fois que j'entrais dans un salon funéraire. Je dois dire que ce fut une expérience fort instructive. Je n'avais jamais vu de cadavre auparavant et je fus surpris de ne pas reconnaître le visage de mon père. Je l'ai regardé longuement, cherchant des repères familiers et découvrant plutôt sur ses traits amaigris des restes de souffrance que le maquillage n'avait pas réussi à camoufler. Je ne me souvenais pas qu'il ait eu la peau si pleine de ridules ni que son nez ait été si proéminent. Ses lèvres avaient perdu leur pli amer, ce qui donnait à son expression une douceur inhabituelle. Je me surpris à chercher ses lunettes et à revoir le tic de sa main qui les remettait en place. On lui avait placé un chapelet dans les mains et je me suis demandé ce qu'il aurait pensé de ça. Je pense qu'il était croyant, mais il n'était certes pas pratiquant. Il m'avait paru agacé par ma phase d'extase religieuse : je l'avais entendu dire à ma mère qu'il avait hâte que je cesse toutes ces « bondieuseries ». Je revoyais son expression de terreur sur son lit d'hôpital et je me disais que s'il avait été croyant, cela ne lui avait pas été d'un grand réconfort au moment où ça comptait le plus. J'imagine que le chapelet était là pour réconforter les autres, les vivants, qui venaient de se faire rappeler encore une fois qu'ils y passeraient tous un jour, que ce n'était qu'une question de temps. Le chapelet évoquait une issue moins finale, un ailleurs, un « autre chose ». Qui suis-je, moi le maître du faux-fuyant, pour reprocher à qui que ce soit cette brève consolation ? Si ça peut rendre la vie plus endurable, mettons-en des chapelets, des images saintes, des crucifix, des symboles sacrés, des talismans, des potions magiques, des incantations. Pour moi qui avais résolument tourné le dos à toute forme de croyance théiste, le chapelet m'apparaissait aussi incongru que la plupart des rites qui entouraient cet événement. Je ne comprenais pas l'impulsion qui poussait tous ces gens à se regrouper dans une salle où trônait un cercueil, à se recueillir quelques instants devant un cadavre aseptisé, puis à échanger poignées de mains, accolades, nouvelles et plaisanteries avec des gens qu'ils n'avaient pas vus depuis des lunes. En entendant pour la première fois les formules d'usage, je hochais la tête sans comprendre devant les « mes sympathies il a l'air paisible c'est mieux comme ça il n'a pas souffert trop longtemps ils l'ont bien arrangé c'était un homme bien il faut que tu sois fort pour ta mère c'est toi l'homme de la famille maintenant le bon Dieu l'a rappelé à lui pauvre garçon tu dois avoir tellement de peine on dirait qu'il dort le cancer ça pardonne pas il a été si courageux prends bien soin de ta mère on va prier pour toi il va falloir être brave ». J'étais surpris de me retrouver à serrer la main de quelqu'un au visage familier, un copain de l'école, un professeur du secondaire, la voisine, mon superviseur du Loblaws. Je me demandais ce qu'ils faisaient là. Je ne savais pas si j'étais censé dire ou faire quelque chose. Je restais planté là, embarrassé, ne sachant quoi faire de mon corps. On me laissait vite à moi-même, après un dernier regard plein de compassion. Pourquoi tout le monde sautait-il donc à la conclusion que je traversais une douloureuse épreuve ? Étais-je la seule personne au monde à ne pas avoir de peine devant la mort de son père ? Étais-je vraiment dénaturé à ce point ? Il faut croire que oui. À part ma mère et mes sœurs, qui avaient elles aussi commencé à chanter le refrain maternel de « on sait bien, toi tu t'en fous », tout le monde semblait croire que je vivais un deuil difficile et personne ne me laissait la possibilité d'affirmer le contraire. Même lorsqu'on me demandait comment j'allais et que je répondais « ça va », on me regardait d'un air entendu et on continuait à me prodiguer des paroles réconfortantes. Je n'insistais pas. À quoi bon ?

Sans que je le lui en fasse la demande, mon superviseur avait réorganisé mon horaire de travail pour que je puisse assister aux funérailles. Il aurait été mal vu de protester. Je me rendis donc à l'église où j'assistai au premier rang à cette messe dont l'objectif était supposément de « célébrer la vie » de mon père. Un prêtre qui ne l'avait probablement jamais rencontré nous parla de lui comme s'il le connaissait intimement. Je m'amusais à traduire pour moi chacun des termes du portrait qu'il traçait de cet homme qui m'avait engendré. Un homme droit (rigide comme une barre de fer), fidèle (têtu comme une mule), discret (frôlant l'invisibilité), avec le courage de ses convictions (arrogant), bon époux (bon tapis), bon père (il ne nous battait pas), bon travailleur (exploité jusqu'à la dernière minute). Plus le prêtre parlait, plus je m'offusquais de ses paroles bien intentionnées qui se voulaient consolatrices, mais qui n'avaient aucun lien avec la réalité de mon père, de sa vie et de sa mort. « Ç'a pas rapport » comme diraient les ados. Est-ce que je m'imaginais que j'aurais pu faire mieux si on m'avait donné la parole ? J'entendais plutôt la voix de mon père qui déclarait – que de fois il nous l'avait servie, celle-là ! – « Il a manqué une belle occasion de se taire. » C'est sûrement ce que j'aurais voulu que tout le monde fasse, moi aussi. Qu'ils se taisent donc tous au lieu de dire des niaiseries, qu'ils se ferment donc au lieu de faire semblant de comprendre quelque chose que personne ne comprend, qu'ils me laissent donc tranquille avec leur réconfort dont je n'ai rien à foutre. Il faut croire que malgré tous mes efforts pour m'en distancier, j'étais, fatalement, le fils de mon père !

Le 8 mai, dix heures et demie du soir

JE ME RENDS COMPTE en m'astreignant à cet autoexamen de ma psyché que j'ai été déchiré toute ma vie entre le désir de dire et le réflexe de taire. D'un côté, j'ai une envie parfois irrésistible de me raconter, comme en témoignent ces pages et mes gribouillages d'adolescent. Il m'arrive même d'être incapable de m'empêcher de donner une opinion qu'on ne m'a nullement demandée, de souligner une vérité qui me crève les yeux, de décrire objectivement et sans pitié un état de fait que tout le monde tente d'ignorer, de dénoncer ce qui m'apparaît injuste, absurde ou tout simplement médiocre. D'un autre côté, je m'installe régulièrement dans un mutisme complet et prolongé, saisissant au vol toutes les occasions de me taire. « Fermé comme une huître, c'est comme arracher des dents, tu n'as rien à dire ? c'est comme parler à un mur, dis quelque chose, dis n'importe quoi, j'ai l'impression de parler toute seule, secret comme une tombe », voilà des remarques que j'ai souvent entendues. Ces pages que je remplis une après l'autre ramènent cette ambivalence profonde au premier plan. Ça fait deux ou trois fois que j'ai l'élan de supprimer tout mon texte. Mon ordi a toutefois la gentillesse de m'accorder une deuxième chance en me posant la question : Voulez-vous vraiment mettre le document à la corbeille ? Puisque même mon ordi se demande si c'est une bonne idée, mes doutes se confirment et j'annule la suppression. Je sais que j'aurai toujours le loisir de tout jeter plus tard. Ça suffit pour suspendre mes scrupules, du moins temporairement. Écrivons toujours, ensuite on verra.

D'où vient donc ce désir de tout effacer ? J'ai passé ma vie à me cacher, à éviter qu'on me connaisse vraiment, à tenter de ne rien révéler d'intime ou de compromettant. Les propos que je vous tiens ici me gênent profondément. Quel manque de pudeur, quel étalage de mauvais goût, quelle croyance exagérée en ma propre importance, quel gaspillage de votre temps et de votre attention ! Je me console un peu en me disant que je ne force personne à me lire et que si vous êtes encore là, c'est que vous le voulez bien. À moins que vous ne soyez, comme moi, affublé de ce mélange de persévérance et d'entêtement qui fait que lorsqu'on commence quelque chose, on se doit d'aller jusqu'au bout ! Combien de temps ai-je ainsi perdu à lire jusqu'à la fin des livres qui ne m'intéressaient aucunement, à suivre jusqu'au bout un cours universitaire dont le prof était non seulement mortellement ennuyeux mais incompétent, à passer une année complète et complètement misérable chez les scouts, à rester tout l'été dans un emploi sous-payé où je me faisais harceler, ou encore à m'obliger à donner une autre chance à une relation amoureuse qui n'en avait pas… Si vous souffrez de ce même handicap et que vous continuez à lire par un vague sentiment d'obligation qui ne sert personne, de grâce arrêtez. Oui, tout de suite, vous en êtes capable. Je vais vous faciliter la tâche en débutant un nouveau chapitre. Vous n'avez qu'à ne pas changer de page !

Le 9 mai, minuit

VOUS ÊTES encore là ? Eh bien, tant pis pour vous. Je vous avertis, les choses ne vont pas aller en s'améliorant. Pas qu'elles vont vraiment empirer non plus. En fait, elles vont demeurer remarquablement prévisibles. Jusqu'au moment présent, jusqu'à ce geste que je m'apprête à poser pour échapper à ce destin terne et remarquablement prévisible. Et dans une ultime ironie, ce geste même est lui aussi tout à fait prévisible, l'aboutissement logique et inévitable de tout ce qui l'a précédé, un cliché par-dessus les autres clichés. Je me rends compte, comme Œdipe et tous ces autres héros tragiques, qu'on n'échappe pas à son destin. Et j'étais, comme Œdipe, destiné à épouser ma mère !

Après la mort de mon père, je me retrouvai donc seul avec ma mère. Moi qui rêvais de liberté, je me sentais encore plus emprisonné qu'avant. Pas que ma mère m'empêchât (c'est joli, non ? deux accents circonflexes dans le même mot) de sortir ou de faire quoi que ce soit. Au contraire. J'étais complètement libre, pourvu que je reste là. C'était le contrat qui nous liait, contrat insidieux qui n'avait jamais été explicité, mais qui était clair comme de l'eau de roche. Ma mère fermait les yeux sur mes allées et venues aux petites heures du matin, mon groupe de copains tous plus ou moins délinquants, mes résultats minables dans les cours que je choisissais et que j'abandonnais au gré de ma fantaisie. Elle feignait d'ignorer mes yeux vitreux ou mon haleine puant l'alcool en plein après-midi. Au début, elle préparait encore les soupers, par habitude sûrement plus que par goût (elle n'était pas douée pour la cuisine et ne s'était jamais trop forcée). Après s'être rendu compte que je n'étais presque jamais là à l'heure prévue, elle s'était contentée de se faire réchauffer une soupe et de s'assurer que les armoires et le frigo étaient suffisamment garnis pour que je puisse me débrouiller. En échange de cette liberté qui n'était qu'apparente, elle s'attendait à si peu, à presque rien quoi. Un petit service de temps en temps. Je devins ainsi, d'abord, son chauffeur attitré. Elle n'avait jamais aimé conduire, et depuis la mort de mon père, elle prétendait avoir les nerfs tellement à fleur de peau qu'elle s'en sentait de moins en moins capable. C'était donc à moi qu'il revenait de la déposer au centre communautaire pour sa partie de bridge hebdomadaire et de la reprendre deux heures plus tard. Je l'emmenais à ses rendez-vous chez le médecin, qui, condition nerveuse oblige, se firent de plus en plus fréquents. Je devais aussi l'accompagner à la messe le dimanche matin (elle faisait la concession d'aller à celle de onze heures pour ne pas que j'aie à me lever trop tôt!) et au brunch qui suivait chez une de mes tantes. J'allais faire les courses avec elle : pharmacie, banque, nettoyeur, épicerie et tout et tout. De fil en aiguille, je devins son valet en plus de son chauffeur : « Si ça ne te dérange pas trop, c'est sur ton chemin, m'apporterais-tu un verre d'eau, une tasse de thé, ma couverture, mes lunettes, mon livre, le journal, un bonbon à la menthe, j'ai oublié d'acheter du pain, du lait, des œufs, du savon à vaisselle, les petits biscuits que j'aime tant, tu sais ceux que je veux dire. » Et moi, j'acquiesçais, je me levais, je sortais chercher l'article en question, sachant qu'il y aurait aussitôt une autre demande, un autre souhait exprimé presque en s'excusant (tu en as déjà tellement fait), un autre petit rien qui viendrait gruger mon temps, mon énergie, mon espace.

Pourquoi étais-je donc si soumis, si obéissant devant cette dictature alors que je me révoltais ailleurs contre toute forme d'autorité ? J'aimerais pouvoir vous l'expliquer en termes nobles ou altruistes : la dévotion d'un fils envers sa mère esseulée, le sentiment d'une responsabilité lourde mais librement assumée ou, à la rigueur, une certaine compassion face à la souffrance d'autrui. Je n'essaierai même pas. Ce ne serait ni crédible ni vrai, et je ne gagnerais rien à vous mentir et encore moins à me mentir à moi-même. Mes motifs étaient purement d'ordre financier. Ma mère, comme tout bourreau qui se respecte, savait exactement comment tirer les ficelles. Une allusion par ci, une menace voilée par là, une légère hésitation avant de sortir son chéquier pour acquitter mes frais de scolarité ou les assurances de l'auto, il n'en fallait pas plus pour que je comprenne de quel côté mon pain était beurré. J'avais beau travailler plus ou moins régulièrement à une jobbine quelconque, je ne gagnais finalement que mon argent de poche, que je dépensais sans compter. Mes soirées au Wasteland à refaire le monde, à l'Albion à me saouler allégrement, ou encore chez un chum ou l'autre, où il fallait bien contribuer pour la bière et les joints, finissaient par me coûter toutes mes payes. Je me convainquais donc que je n'avais pas d'autre choix que d'habiter chez ma mère.

C'est une autre période de ma vie – il y en a plusieurs – à laquelle je n'aime pas repenser. Je n'ai aucun respect pour le jeune adulte que j'étais : lâche, paresseux, engourdi par l'alcool et la drogue, complètement absorbé par les petites préoccupations de sa petite vie dans son petit milieu. Suis-je vraiment mieux aujourd'hui ? J'ose croire que je suis un peu plus lucide, un peu plus sensible à ce qui se passe autour de moi et un peu plus courageux face aux décisions difficiles auxquelles la vie nous confronte inévitablement. Je ne peux quand même pas affirmer que je suis un spécimen humain particulièrement bien réussi, mais je me reconnais certaines qualités. Je sais regarder les choses en face et j'essaie de ne pas mentir, à moi d'abord, aux autres ensuite. Je suis travaillant, méthodique, constant et prévisible, ce qui est sûrement rassurant pour mon entourage et bon pour la société en général, d'où mon souci de ne pas trop déranger avec mon suicide. J'ai peu de convictions profondes, mais j'ai le courage de celles que j'ai. Je ne suis pas très généreux ni doué pour la compassion, mais je fais très attention pour ne pas faire délibérément du mal aux autres, principe que beaucoup de gens disent partager mais que peu semblent respecter. Finalement, je suis d'une loyauté à toute épreuve : je n'accorde pas facilement mon amitié, mais lorsque je le fais, je suis indélogeable.

C'est donc un peu pénible pour mon amour-propre – ce qu'il en reste en tout cas – de vous décrire mon comportement d'adolescent attardé, qui dura au moins jusqu'à la mi-vingtaine. J'étais installé dans mes derniers retranchements, vivant sans me l'admettre une lutte sans merci contre ma mère. Moi qui avais passé mon enfance à l'adorer, j'étais mû par une haine féroce qui ne pouvait puiser sa source qu'à cet amour bafoué. Qu'est-ce qui me portait à croire que j'étais de taille ? Elle avait eu la peau de mon père, et mes sœurs ne gardaient la tête hors de l'eau qu'en se tenant le plus loin possible. Étaient-ce l'alcool et autres substances psychotropes qui nourrissaient mes illusions de puissance ? Ou plutôt la faille que j'avais perçue dans son armure après le décès de mon père et occasionnellement par la suite ? Ma stratégie était loin d'être réfléchie. Je me sentais plutôt emporté par un courant plus fort que moi. Elle attaquait et je contre-attaquais automatiquement, ne prenant pas le temps de choisir mes armes, de viser ou d'évaluer les dommages possibles. Je procédais à l'aveuglette, utilisant plutôt tout ce qui me tombait sous la main avec des résultats imprévisibles, manquant parfois mon coup royalement, alors que ce que je croyais être une grenade ne s'avérait qu'une poignée de cendres, ou encore que le coup que j'avais tiré à côté de la cible arrivait au but après de multiples ricochets. Nous rivalisions de mesquinerie et de coups au-dessous de la ceinture. Elle était plus habile que moi à l'assaut frontal dévastateur et je me spécialisais dans le sabotage de haut niveau. Elle connaissait mes points sensibles et les exploitait sans retenue : je n'avais pas de cœur, je me croyais le nombril du monde, je gaspillais ma vie, je n'allais rien accomplir de bon, j'étais comme mon père, j'étais lâche, mon père avait honte de moi, mon père aurait honte s'il me voyait aujourd'hui, je n'étais pas digne d'être le fils de mon père, mon père était un raté et j'allais l'être moi aussi, elle ne pouvait pas compter sur moi, j'étais vil comme tous les hommes, je me laissais mener par mes plus bas instincts, j'étais irresponsable, j'étais incapable de me débrouiller seul, je ne survivrais pas un mois en dehors de la maison, je n'arriverais jamais à me brancher, j'étais stupide, j'étais laid, je n'avais pas de classe, je n'avais pas de jugement, j'avais les deux pieds dans la même bottine, j'étais niaiseux. Ce à quoi j'acquiesçais avec un sourire idiot, ce qui la faisait enrager encore plus. Je partais ensuite sans claquer la porte et je revenais aux petites heures du matin, ramenant une fille aussi saoule que moi, avec qui j'aboutissais au lit ou pas, mais que je m'assurais de faire parader devant ma mère le lendemain matin comme un trophée. Mon triomphe était complet lorsque ma nouvelle conquête se présentait à la cuisine vêtue seulement d'un de mes t-shirts et qu'elle saluait ma mère avec assurance. J'ai souvent gardé pendant plusieurs mois une relation avec une fille qui avait depuis longtemps fini de m'intéresser, juste parce qu'elle avait le don de faire hérisser les poils sur la nuque de ma mère, soit par un sans-gêne à toute épreuve, soit par une touche de vulgarité. Le bon côté de cette stratégie, en plus d'assouvir en partie mon vorace appétit sexuel, fut de m'ouvrir à un univers féminin vaste et diversifié qui ne cessait de me surprendre, de me fasciner et de me déniaiser, il faut bien le dire.

J'ai rencontré durant cette époque des filles de tout genre : des pognées et des délurées, des amazones et des oiseaux blessés, des vierges et des dévergondées, des intellectuelles et des terre-à-terre, des naturelles et des guindées, des sottes et des perspicaces, des égoïstes et des généreuses, des banales et des déesses. Je ne les baisais pas toutes (ceci est un essai autobiographique après tout, pas un roman !), mais je les côtoyais, je m'immisçais dans leur vie, je devenais leur ami, leur confident, leur compagnon d'étude, leur chevalier servant, leur punching bag – j'avais l'habitude – et parfois, lorsque les étoiles s'enlignaient en ma faveur, leur amant. Il suffisait qu'elles m'accordent un peu d'attention, qu'elles me posent une question et fassent semblant d'écouter la réponse, qu'elles me lancent un compliment anodin, et je fondais. Je devenais amoureux presque aussi vite que je bandais (ce qui n'est pas peu dire, devrais-je préciser en toute modestie) et je m'accrochais à l'heureuse élue avec tous les moyens à ma disposition. Je savais me faire discret quand il le fallait et persuasif au bon moment. Je pouvais me faire patient, attendant le moment idéal pour m'avancer, battre stratégiquement en retraite ou exercer une légère pression tout en subtilité. On m'avait fait la remarque un jour : « T'as l'air de rien comme ça quand on te rencontre, mais t'as vraiment de la suite dans les idées. » En fait, j'avais plus de suite dans les idées que dans les sentiments. Je glissais en dehors de l'amour aussi rapidement que j'y étais tombé, mais cela ne faisait que me pousser à multiplier les efforts pour faire marcher une relation qui boitait déjà. Je redoublais de gentillesse, de gestes tendres, de délicatesse. Je n'ai jamais été aussi fin qu'avec les filles que je n'aimais plus, peut-être pour excuser à mes yeux un comportement foncièrement malhonnête. Ce n'est donc jamais moi qui rompais, j'étais celui qui se faisait larguer, inévitablement, parfois tôt, parfois tard. Et même après ça, je m'accrochais. Je restais le bon ami, celui à qui on conte sa dernière conquête, qu'on appelle lorsqu'on a besoin d'aide pour déménager ou qu'on traîne à une fête de famille à laquelle on ne veut pas se présenter seule. J'étais le bon gars, à qui on ne voulait pas faire de peine, mais avec qui la chimie était rarement au rendez-vous. Les « Je t'aime bien, mais pas de cette façon-là » ou les « J'espère qu'on va rester amis » étaient monnaie courante. Par contre, toutes les mères m'adoraient et prenaient souvent ma part lorsque leur fille parlait de me laisser, au grand dam de ces dernières d'ailleurs. Faut croire que j'avais le tour avec les mères, sauf avec la mienne.

Je faisais régulièrement des tentatives plus ou moins sincères pour quitter la maison. Je crois que c'était une façon de me prouver à moi-même que je pouvais partir à tout moment, que je choisissais de rester, temporairement, pour terminer ma session universitaire, pour ne pas laisser ma mère seule durant le temps des Fêtes, pour réussir à me dénicher un emploi un peu plus payant ou autre excuse du genre. Je lançais donc d'un ton désinvolte : « Bruno et Roger viennent de perdre leur autre coloc, tu sais celui qui étudie en droit. Il déménage avec sa blonde et ils m'ont demandé si je voulais prendre sa place. » Ma mère feignait l'indifférence la plus totale et haussait les épaules avant de changer de sujet. Selon mon humeur et mon courage, je laissais tomber moi aussi ou je persistais : « Ça leur coûte vraiment pas cher de loyer, ma part reviendrait à juste soixante-quinze dollars par mois. Avec ce que je gagne au restaurant, je pourrais facilement payer ça. » Je savais que je l'avais atteinte quand elle se donnait la peine de me répondre méchamment : « Fais ce que tu veux, mais attends-toi pas à pouvoir revenir ici au bout de deux mois quand il te restera plus une cenne. Si tu pars, c'est fini, tu te débrouilles. » Je jouais la carte de l'indifférence à mon tour : « Tu peux être sûre. Le jour où je vais partir de la maison, c'est certain que je reviendrai pas. » On passait les heures suivantes à s'étudier sans en avoir l'air, elle pour jauger à quel point j'étais sérieux, moi pour évaluer jusqu'où pousser le bluff. Au fond, j'étais terrorisé à l'idée de quitter le nid familial, aussi épineux fût-il. On m'avait assez souvent tracé un portrait éloquent de mon incompétence générale pour que je sois convaincu que j'allais me planter sur toute la ligne, et que je ne réussirais ni à terminer mes études, ni à conserver un emploi, ni à m'occuper d'un appartement. J'avais tout de même besoin de nourrir l'illusion d'un départ possible, d'un affranchissement éventuel. Je poussais parfois le scénario un peu plus loin : je décrivais en détail mes démarches pour visiter des appartements, je rapportais à la maison quelques boîtes en carton dans lesquelles j'empilais certaines de mes affaires, je lançais des dates, des échéanciers précis mais mouvants, qui finissaient toujours par être modifiés et reportés. Si j'avais utilisé à des fins plus constructives une fraction de l'énergie et de la créativité que je dépensais à simuler un départ imminent, j'aurais sûrement réussi à échapper aux griffes de ma mère beaucoup plus tôt et pas mal moins amoché !

Finalement, c'est grâce à une fille que j'ai réussi à partir. Laissé à moi-même, je serais peut-être encore là... non, impossible, parce que dans ce cas, j'aurais sûrement décidé de me tuer bien avant. Je dois donc à Louise, non seulement de m'avoir tiré de cet enfer, mais d'avoir du même coup prolongé ma vie de quelques dizaines d'années. Est-ce vraiment mieux, puisque j'en arrive au même point de toute manière? Il est évidemment difficile de comparer une réalité à un scénario hypothétique. Je me méfie de tous les raisonnements qui s'appuient sur ce genre de prémisse: « Avoir su, je n'aurais pas..., Si je ne t'avais jamais rencontré, ma vie aurait été de telle ou de telle façon..., J'aurais dû prendre l'autre chemin. » Je n'aime pas la vie que j'ai eue mais je refuse de la comparer à une vie inventée qui aurait pu être meilleure, pire ou semblable. Le fait est que j'ai quitté la maison à vingt-six ans pour commencer un nouveau chapitre de ma vie. Ce qui serait arrivé si je ne l'avais pas fait n'est ni pertinent ni tellement intéressant. Ça ne veut pas dire que ce qui s'est vraiment produit est nécessairement du plus grand intérêt, mais ça a au moins le mérite d'être réel.

Le 9 mai, une heure de l'après-midi

Je laissai donc Louise prendre charge de ma vie, m'abandonnant sans résister à ce petit bout de femme pragmatique, bien résolue à me sauver malgré moi. Elle dénicha un appartement en décrépitude dans le quartier Côte-de-Sable et m'assigna la tâche de le décrotter et de le repeindre. Pendant ce temps, elle cousait des rideaux et un couvre-lit, fabriquait des coussins et courait les brocanteurs pour acheter quelques meubles à prix modique. Elle avait recruté son père, un gros homme doux et taciturne, pour venir faire les petits travaux de réparation devant lesquels le propriétaire se traînait les pieds : robinet qui coule, porte de garde-robe qui ferme mal, plafonnier du salon à remplacer. C'est à peine si je savais changer une ampoule, et je suivais mon nouveau beau-père avec admiration, tenant la lampe de poche, lui tendant les outils dont il avait besoin et posant quelques questions hésitantes sur ce qu'il faisait. S'il était surpris de mon intérêt, il n'en laissait rien paraître, se contentant d'expliquer en quelques mots précis la source du problème, la solution à appliquer ou l'outil de choix. Je ne sentais dans ses réponses aucun mépris ni condescendance, comme s'il était tout naturel que quelqu'un qui sait partage ses connaissances avec quelqu'un qui ne sait pas. J'étais aussi étonné que ravi et mes questions se multipliaient. Parfois, plutôt que de m'expliquer, il me disait simplement : « Regarde. » Il exécutait l'opération lentement devant moi, puis me mettait l'outil dans la main, m'enjoignant d'un geste du menton d'essayer à mon tour. Je n'étais certes pas très doué, mais j'étais heureux de me découvrir pas complètement incapable. Comme dans plusieurs de mes relations amoureuses, lorsque Louise m'a finalement mis à la porte deux ans plus tard, ce qui m'a le plus peiné, c'est de perdre ma relation avec sa famille, particulièrement avec son père. Pourtant, les parents de Louise n'aimaient pas tellement l'idée que leur fille vive avec un homme sans être mariée. « À notre époque, ça se serait jamais vu. On n'est pas habitués à ça », nous disaient-ils comme pour s'excuser de ne pas se réjouir davantage. Malgré tout, ils nous avaient aidés tout au long à préparer l'appartement, à s'y installer et à faire face aux nombreuses responsabilités qui étaient maintenant les nôtres. Je n'en revenais pas et je passais mon temps à dire à Louise combien elle était chanceuse d'avoir des parents comme ça. « On voit bien que c'est pas toi qui as eu à vivre avec eux toutes ces années-là ! » répondait-elle. Mais elle riait : elle le savait bien au fond qu'elle avait été choyée par la vie.

Louise fixa donc la date du déménagement, se pointa chez moi la veille pour m'aider à faire mes boîtes – je n'avais vraiment pas grand-chose – et mobilisa son frère aîné et deux de ses amis, dont un avait accès à un camion, pour nous donner un coup de main le jour même. Ma mère, pendant ce temps, semblait avoir rapetissé. Peut-être avait-elle senti que son emprise sur moi diminuait à mesure que celle de Louise augmentait. Peut-être était-elle soulagée au fond elle aussi de sortir de ce huis clos dans lequel nous étouffions tous les deux. Peut-être n'avait-elle pas l'énergie de mener un combat dont l'issue était incertaine. Toujours est-il qu'elle n'opposa à mon départ qu'une résistance superficielle: les lèvres un peu plus pincées que d'habitude, quelques prédictions pessimistes quant à mes perspectives d'avenir, une augmentation de malaises physiques de toutes sortes exigeant de nombreuses consultations médicales et des sorties régulières à la pharmacie. Il y eut bien une ou deux scènes plus dramatiques où elle m'accabla de reproches et de récriminations, s'apitoya sur son sort de mère abandonnée (elle qui avait failli mourir en me donnant la vie!) et finit par casser quelques objets (rien de trop précieux, mais ça faisait tout de même un certain effet). Elle me l'avait jouée si souvent cette scène-là que je dois admettre qu'elle me laissait plutôt froid (on sait bien, toi, tu t'en fous!). Je me forçais tout de même pour rester là et l'écouter jusqu'au bout, comme si je lui devais au moins ça. Je la laissais s'épuiser de rage et de rancœur, je lui tendais un mouchoir pour qu'elle éponge ses yeux secs et je haussais les épaules pour signifier mon impuissance devant cette étape de notre vie.

Le matin de mon départ, elle s'enferma dans sa chambre et n'en sortit pas. Je lui lançai un: « On a fini, on s'en va, là », à travers la porte et elle marmonna quelque chose d'incompréhensible. J'étais resté planté devant la porte quelques instants, me demandant si je devais dire ou faire quelque chose de plus, mais je n'avais rien trouvé. J'avais entendu Louise qui m'appelait et j'étais sorti de la maison sans me retourner. Il me semble que je ne sentais rien.

J'aurais dû être heureux et Louise s'affaira beaucoup à organiser ma vie pour que je le sois. Elle s'occupait de tout, avec efficacité et bonne humeur, décorant l'appartement, payant les comptes, préparant les repas et faisant l'amour avec la même application. Je n'étais pas habitué à ce qu'on s'occupe tant de moi, surtout de façon positive, et je ne savais pas trop comment agir ou réagir. J'aurais parfois voulu pouvoir m'enfermer dans ma chambre comme avant et me retrouver seul avec moi-même. Pourtant, les quelques occasions où je me retrouvais seul dans l'appartement, j'étais pris de panique et je ne savais pas quoi faire de mon corps. Je finissais habituellement par me masturber, mais même ça n'arrivait pas à calmer mes angoisses. Il faut dire que Louise, en tenant les cordons de la bourse, m'avait forcé bien malgré moi à diminuer ma consommation de drogue et d'alcool. Elle exerçait une surveillance pas toujours subtile sur toutes mes dépenses et ne tolérait pas que je rentre chez nous avec les yeux rouges ou une haleine de bière. Spécialiste de la dissimulation, je réussissais tout de même à tromper sa vigilance régulièrement, mais je ne passais plus mes journées entières dans l'état d'engourdissement auquel j'étais habitué. Je constatais de plus en plus que ma vie n'allait nulle part et qu'il allait bien falloir que je me déniaise un jour.

Louise m'avait pris un rendez-vous au Service de counselling de l'université pour que je me fasse orienter. La jeune (et ma foi très jolie) stagiaire qui m'avait accueilli m'avait fait passer une batterie de tests d'intérêts et d'aptitudes. Je ne me rappelle pas tous les résultats, mais je me souviens d'avoir donné du fil à retordre à ma conseillère bien malgré moi parce que je ne semblais aimer à peu près rien (ce que j'aurais sûrement pu lui dire sans avoir besoin de passer tous ces tests!). J'en étais tout de même ressorti avec une liste de domaines qui correspondaient à mon profil, dont comptable, bibliothécaire, historien et linguiste. Louise étudia le rapport et décréta que je devrais faire mon bac en traduction, puisque la fonction publique (où elle travaillait comme secrétaire) embauchait de plus en plus de gens dans ce domaine, et qu'avec les nombreux cours dans différentes facultés que j'avais tout de même réussi à compléter durant toutes mes années universitaires, je pourrais probablement obtenir mon diplôme en deux ans. Je pris rendez-vous avec une conseillère pédagogique, qui m'aida à faire la liste des cours obligatoires et je me mis à la tâche, sans ardeur mais sans résistance non plus, ce qui dans mon cas tenait presque du miracle. J'avais un but, une série d'étapes à franchir et une identité potentielle. J'étais rassuré.

Rassuré, mais pas bien quand même. Comment expliquer autrement les gestes de sabotage actif ou passif que je posais presque quotidiennement ? Les dépenses impulsives faites en cachette avec une carte de crédit dont Louise ignorait l'existence, jusqu'à ce que ce soit elle qui dépouille le courrier et découvre ainsi ma supercherie. Les filles que j'invitais à la maison entre les cours, pendant que Louise était au travail, et avec qui j'aboutissais souvent au lit. Les amis qui venaient prendre une bière chez moi en fumant un joint ou deux, que je mettais à la porte juste avant qu'elle ne rentre, et qui laissaient derrière eux des cernes de bouteille sur la table, des cendriers pleins et des miettes de biscuits dans les coussins. Je sentais bien que je lui faisais de la peine et ça éveillait en moi un mélange de culpabilité, de compassion et de ressentiment. Je m'en voulais de la rendre malheureuse et je lui en voulais d'être malheureuse à cause de moi. Je restais le gars gentil et doux qui l'écoutait se plaindre de son patron erratique et de ses collègues mesquines, qui lui faisait couler un bain à tous les soirs et qui savait encore la faire jouir, mais le cœur n'y était plus et nous le savions tous les deux. Lorsqu'elle m'a finalement mis à la porte, après que j'eus brisé une énième promesse, je suis parti en douceur, soulagé et reconnaissant. Elle m'avait sorti des griffes de ma mère et m'avait enseigné les rudiments d'une vie responsable et organisée. Je ne pouvais plus être son chum – elle méritait beaucoup mieux – mais je suis longtemps resté son ami. Je me suis réjoui pour elle quand elle s'est mariée, cinq ou six ans plus tard, à un homme qui l'aimait vraiment beaucoup et qui savait la faire rire, ce que je n'avais évidemment jamais tellement réussi.

Le 10 mai, dix heures du matin

Je ne sais vraiment plus si je vais aller jusqu'au bout. Quand j'ai commencé à écrire, j'étais mû par une sorte d'élan frénétique alors que maintenant, c'est plus ardu. Parler de mon enfance était libérateur, je n'avais qu'à suivre le courant. Raconter ma vie d'adulte tient davantage de la corvée, à l'instar de mon existence j'imagine. Je pensais pouvoir boucler la boucle en quelques heures, une journée ou deux au maximum. Mais les jours passent et je suis toujours devant l'ordi : j'ai mal au dos, j'ai les yeux qui chauffent et le poignet droit m'élance presque continuellement. Je suis écœuré de manger de la pizza et des mets chinois, je vais devoir me résoudre à aller faire mes provisions, moi qui avais soigneusement vidé mon frigo. Plus rien n'est clair, ni pourquoi j'écris, ni pourquoi je ne semble pas capable d'arrêter, ni pourquoi j'ai décidé de mourir. Ce sont tous ces souvenirs qui remontent pêle-mêle qui m'embrouillent l'esprit. Tout me semblait si clair quand j'ai commencé et maintenant, je ne sais plus ce que je fais là.

Je regarde autour de moi et mon appartement à moitié vide ressemble à une chambre d'hôtel anonyme. Je me sens étranger chez moi, étranger dans mon propre corps. J'ai l'impression de perdre pied, de ne plus vraiment être là, de ne plus être assis devant mon clavier à écrire cette phrase.

J'ai souvent senti que ma vie avait quelque chose d'irréel, de flou, mais là c'est pire. Est-ce cela « l'insoutenable légèreté de l'être », cette sensation vertigineuse de dériver, ou de se regarder dériver ? Ce n'est probablement pas ça parce que c'est fort désagréable, mais ce n'est certainement pas insoutenable. La preuve, c'est que je suis encore là, vertige ou pas. Depuis le temps que je vis dans cette sorte de flottement, ce n'est pas parce que c'est soudainement devenu intolérable que je veux en finir. C'est plutôt qu'il n'y a aucune raison de continuer comme ça ou de penser que ça va changer. C'est un peu comme la décision de débrancher le respirateur d'un patient qui est dans le coma depuis des années. C'est un acte de rationalisation des ressources d'abord, de soulagement des proches ensuite (ce qui ne s'applique pas ici, puisque des proches, il n'y en a pas depuis longtemps), et en tout dernier lieu, de compassion pour le patient qui s'en fout d'une manière ou d'une autre. Non, qui ne s'en fout même pas puisqu'il n'y est plus. Ce qui me déstabilise dans le moment, c'est de constater que pour quelqu'un qui veut supposément rationaliser ses ressources et donc arrêter de dépenser de l'énergie inutilement, je suis en train de passer un temps fou dans cette conversation à sens unique avec un lecteur virtuel qui ne se matérialisera peut-être jamais. J'aimerais vraiment savoir à qui je m'adresse. Qui êtes-vous donc ? Oui vous, là. Ne faites pas l'innocent en cherchant autour de vous à qui je parle. Êtes-vous une vraie personne, ou une simple création de mon imagination, une projection pure et simple ? Je vous sens un peu agacé par mes élucubrations. Vous préférez que je fasse juste raconter, que j'arrête de me perdre en détours tortueux et en spéculation inutile. Je vous comprends tout à fait. Ce n'est pas drôle pour moi non plus, vous savez, d'être affublé de cette tendance à analyser *ad nauseam*.

Je me rends compte de plus en plus que l'objectivité tant recherchée est ici impossible. Le regard sur ma vie, que j'aurais voulu détaché et clinique, se teinte à tout bout de champ de réactions émotives, de jugements, d'interprétations *ex post facto*. Et ma relation avec vous, lecteur imaginé, devient de plus en plus compliquée. Je vous prête des réactions, je soupèse certains mots, m'interrogeant au sujet de leur impact sur vous, je me sens évalué, critiqué parfois, mal compris souvent. Je vous aurais voulu neutre mais bienveillant, et voilà que je vous imagine irrité, hostile ou – ô horreur ! – rempli de pitié à mon endroit. Je voulais vous expliquer mon geste pour que mes motivations soient d'une limpidité à toute épreuve et je les comprends de moins en moins moi-même.

J'avais pris ma décision en solitaire. Je vous ai maintenant entraîné dans ce processus dont l'issue est toujours plus facile pour celui qui part que pour ceux qui restent. Je me sens en quelque sorte responsable de vous et je m'en veux de m'être ainsi mis dans le pétrin – encore une fois –, moi qui avais travaillé si fort à me défaire graduellement de tout lien significatif, justement pour que ma mort dérange le moins possible. Il me vient de nouveau l'impulsion de tout simplement effacer mon document, mais je m'en sens incapable, comme si j'avais commencé à tisser un lien véritable avec vous et que je ne voulais pas le rompre, pas avant d'avoir tout dit en tout cas. La tête me tourne vraiment. Je crois que je vais aller prendre l'air un peu, m'acheter quelques provisions peut-être et décider plus tard ce que je veux faire avec tout ça.

Le 10 mai, onze heures du soir

BON, ça va un peu mieux. J'ai pris une bonne douche, j'ai mangé un steak saignant à souhait et je me suis même préparé une salade verte bien fraîche et bien santé (ce qui, pour un suicidaire, est plein d'une délicieuse ironie). Le vin Amarone que j'ai bu en accompagnement m'a coulé dans la gorge comme du velours et a contribué à calmer temporairement ma fébrilité. Je respire plus librement et je suis revenu dans mon corps, prêt à reprendre mon récit.

Louise m'avait donc très gentiment mis à la porte et je m'étais retrouvé en chambre dans une maison en rangée de la Basse-Ville. Je n'ai pas beaucoup de souvenirs de l'endroit lui-même, mais j'appréciais la proximité du marché By, où j'allais souvent flâner, pas autant pour faire des emplettes que pour observer la tranche d'humanité qui quêtait, offrait, achetait, draguait, titubait, cherchait, vendait, trouvait, errait, traînait, fêtait, tombait, mendiait, convoitait, sollicitait, divertissait ou se perdait. Je pouvais me rendre à l'université à pied et j'assistais à mes cours avec passablement d'assiduité. Je redécouvrais le plaisir des mots, auquel j'avais goûté au début du secondaire, et je terminai mon bac sans trop de difficulté.

Comme Louise me l'avait prédit, je me trouvai facilement un emploi à la fonction publique fédérale, où le bilinguisme et les langues officielles étaient de toutes les politiques. Je devins fonctionnaire avec un mélange de satisfaction et de résignation, en me demandant si mon père aurait été fier ou déçu – ou complètement indifférent – de me voir suivre ses traces. J'étais TR1, je gagnais dix-huit mille dollars par année et je me sentais riche. Je pris un appartement au centre-ville, un demi-sous-sol un peu miteux près de la rue Metcalfe, dont le loyer très raisonnable me permettait de commencer à rembourser mes prêts étudiants. J'étais à quinze minutes à pied de mon travail, pas loin du canal Rideau et à côté du Musée de la nature où j'allais régulièrement admirer les squelettes de dinosaures. Mon travail me plaisait sans m'enthousiasmer et j'avais un patron pointilleux mais pas mesquin. Encore une fois, j'avais tout pour être, sinon heureux, du moins bien. Encore une fois, je n'y arrivais pas.

Je supportais mal la solitude tout en la cultivant soigneusement. Je refusais systématiquement toutes les invitations à prendre un verre ou un repas avec les collègues après le travail, pour ensuite me retrouver devant des soirées interminables en ma compagnie plutôt terne. J'échouais souvent au cinéma, où le maïs soufflé me tenait lieu de souper, les autres spectateurs, de réseau social, et le film, de vie. Quand je restais chez moi, j'étais parfois pris de panique, soudainement, sans raison. Je sentais la crise venir, comme on peut parfois sentir venir la pluie avant que le ciel ne s'ouvre. Et je ne pouvais pas plus la prévenir que j'aurais pu prévenir l'orage. La tête me tournait, j'avais le souffle court, le cœur me pompait à une vitesse folle et je me mettais à suer abondamment. Je n'arrivais plus à penser, bien que des bribes de phrases ou des images un peu floues m'aient tournoyé dans la tête. Je m'agrippais aux bras du fauteuil, au mur ou à la table jusqu'à ce que, au bout de quelques minutes ou de quelques heures – je n'en étais pas sûr – la tension se mette à diminuer. Je commençais à pouvoir respirer un peu plus librement, mon cœur reprenait un rythme plus normal et je regardais autour de moi un peu perdu, comme si je revenais de très loin. Mes vêtements étaient souvent détrempés ; je me mettais à avoir très froid et à grelotter. La plupart du temps, je finissais par aller prendre une douche et me coucher, peu importe l'heure, et je dormais d'un sommeil agité jusqu'aux petites heures du matin. Incapable de me rendormir, je finissais par me lever et j'étirais ma routine matinale pour tuer le temps avant de me rendre au travail. J'y étais normalement une heure ou deux avant tout le monde, mais je jouais à celui qui vient tout juste d'entrer quand les autres arrivaient, vers huit heures et demie.

Avec ma mère, j'étais parvenu à une sorte de trêve précaire. Tous les mercredis après le bureau, je me rendais chez elle en autobus pour reprendre mon rôle de chauffeur et l'emmener souper au restaurant. Elle insistait pour payer et me torturait ensuite en étudiant l'addition longuement d'un air soupçonneux et en calculant le pourboire au sou près. Puis nous nous rendions au Loblaws pour qu'elle puisse y faire ses emplettes, je la ramenais chez elle, l'aidais à tout ranger et je reprenais l'autobus jusque chez moi. Je savais qu'elle avait recommencé à conduire, mais elle agissait avec moi comme si l'auto ne faisait qu'accumuler de la poussière entre mes visites. Je jouais son jeu parce que c'était plus simple comme ça, mais je m'amusais souvent à vérifier l'odomètre et je constatais qu'elle se promenait de plus en plus. Le dimanche, je refaisais le même manège, cette fois pour la reconduire à la messe de onze heures ; je refusais d'entrer et l'attendais devant l'église en grillant une cigarette ou deux. Quand j'ai arrêté de fumer quelques années plus tard, c'est à ce moment-là que ça me démangeait le plus, en faisant les cent pas devant l'église ou assis dans l'auto à écouter la radio. Ma mère écoutait religieusement la première chaîne de Radio-Canada et je prenais un malin plaisir à syntoniser un poste de musique rock que je mettais à tue-tête. J'éteignais ensuite la radio sans ajuster le poste ou le volume, sachant que lorsqu'elle reprendrait le volant en mon absence, elle pesterait contre moi le temps de baisser le volume et de retrouver sa chaîne préférée. On prend ses plaisirs là où on peut! Après la messe, je l'accompagnais au brunch traditionnel et obligatoire chez sa sœur et je les écoutais distraitement manger de leur prochain pendant quelques heures, tout en en profitant pour m'empiffrer. Ma tante me faisait d'ailleurs cadeau de tous les restants, bien entreposés dans des contenants en Tupperware avec étiquettes, rien de moins, au cas où je confondrais la salade de patates avec la tarte aux pommes! Je surprenais parfois le regard un peu déçu de mon oncle alors qu'elle m'offrait les restes de ses plats préférés, en insistant pour dire que c'était beaucoup trop pour eux et que ça allait sûrement se perdre. À tous les deux ou trois mois, je lui ramenais sa pile de plats de plastique avec couvercles, aux dimensions assorties, et elle disait immanquablement: « Ah! c'est là qu'ils étaient! Je me demandais bien où étaient passés tous mes contenants! » Lorsque je reconduisais ma mère chez elle après le repas, elle passait tout le trajet en voiture à critiquer sa sœur et son beau-frère qui venaient de la recevoir à bras ouverts. Ma tante avait pris du poids, elle se laissait aller, ce qui n'était pas surprenant au fond avec un mari aussi insignifiant, comme ils manquaient donc de classe tous les deux, comme la décoration manquait de goût, comme la nourriture était peu raffinée, comme la conversation était peu relevée… Je finissais par exploser et lui lancer à mon tour un ou deux jugements cinglants. La scène finissait toujours de la même façon: après m'avoir craché son venin à la figure pendant plusieurs minutes, elle s'affaissait dans son rôle de pauvre femme seule et négligée, qui s'est dévouée (?!) toute sa vie pour ses enfants et qui ne reçoit qu'ingratitude et indifférence. Lorsque nous arrivions chez elle, elle sortait de l'auto apparemment déchirée entre sa rage (fermer violemment la portière, lancer un dernier commentaire méchant et entrer dans la maison en claquant la porte derrière elle) et son désir d'inspirer la culpabilité en jouant la victime (sortir lentement de l'auto sans dire un mot, se traîner péniblement jusqu'à la maison et lever une main tremblotante en guise de salut pitoyable). Personnellement, je préférais sa rage, qui me permettait de partir la conscience plus en paix, confirmé dans ma perception d'elle comme une espèce de monstre redoutable. Bien que je décrive ici son rôle de victime avec un certain détachement, je n'ai jamais réussi à y être aussi indifférent que je l'affichais et je repartais avec un vague sentiment d'avoir échoué ou de m'être fait avoir encore une fois, ce qui revenait à peu près au même. Malgré tout, j'étais fidèle au poste le mercredi suivant et nous faisions tous les deux comme si rien ne s'était passé. J'en venais à me faire croire qu'effectivement, il ne s'était rien passé d'important, que ce n'étaient que de petits accrochages normaux comme il y en a dans toutes les familles, que c'était moi, avec mon penchant pour l'exagération, qui voyais une tempête dans un verre d'eau. Ce ne fut que des années plus tard, au bout de nombreuses thérapies, que je pus finalement admettre que ma relation avec ma mère était malsaine, qu'elle ne m'aimait pas et que je lui en voulais pour mourir. Il aurait peut-être été mieux pour moi que je continue à entretenir mes illusions.

Non, au fond, ça, je ne le pense pas vraiment. Même si, comme tout le monde, j'ai passé une bonne partie de ma vie à me mentir à moi-même et à éviter de confronter certains aspects de la réalité qui me bousculaient trop, j'ai toujours été convaincu qu'au bout du compte, la vérité était préférable au mensonge. J'aime mieux savoir à quoi m'en tenir même lorsque cela fait mal, et je préfère donner l'heure juste plutôt que faire semblant de penser ou de ressentir quelque chose qui n'est pas vrai. On m'a reproché bien des choses dans ma vie, mais on m'a rarement accusé d'être menteur ou malhonnête, en tout cas, pas délibérément. Même qu'on a parfois exprimé le souhait que je le sois un peu plus : « Tu aurais pu faire semblant d'aimer ça. Toute vérité n'est pas bonne à dire. Dis-moi que tu m'aimes, que tu vas m'aimer toujours. Est-ce bien nécessaire d'être toujours aussi bêtement honnête ? Est-ce que ça t'aurait fait si mal que ça de mentir un peu pour me faire plaisir ? » Je n'ai aucun tact, et pour cause. Ni mon père ni ma mère n'étaient doués dans l'art d'enrober une vérité pour qu'elle passe mieux ou de mesurer l'impact de leurs paroles avant de les prononcer. Ils n'avaient pas voulu que nous croyions au père Noël ou autres balivernes que l'on raconte aux enfants moins intelligents. Tout en regardant de haut mes camarades qui s'étaient laissé berner, je les enviais secrètement d'avoir la sorte de parents qui se donnent tant de mal pour entretenir un peu de magie.

Tout ça pour dire que bien que vue de l'extérieur, ma vie semblait aller mieux, moi j'allais toujours aussi mal. Je passais mon temps à me sauver, de mes collègues, de ma solitude, de ma mère, de mon appartement, de moi-même, de mes thérapeutes, de mes angoisses, de ma blonde du moment, de ma sœur aînée qui cherchait à entretenir un contact – je ne savais pas trop pourquoi –. J'étais essoufflé à force de me sauver sans cesse, mais je ne voyais pas le moyen de faire autrement. Je n'avais pas encore perfectionné tous les mécanismes qui me permettent aujourd'hui de tenir à peu près tout le monde à distance, ni atteint le niveau de détachement ou d'indifférence qui est le meilleur antidote à la peur. Si je ne tiens à personne et que je me fous généralement de tout, de quoi pourrais-je bien avoir peur ?

Le 11 mai, deux heures de l'après-midi (il fait un soleil radieux, et je suis allé prendre une longue marche avant de revenir m'installer devant mon ordi : moi qui ai passé ma vie dans la procrastination, pourquoi en serait-il tout à coup autrement ?)

LE SEUL ASPECT de mon existence que je juge ne pas avoir complètement raté fut ma carrière comme traducteur à la fonction publique. Je faisais du bon travail et je m'attendais à peu de chose en retour. Je ne demandais pas mieux que d'être oublié dans mon coin, avec mes quotas à atteindre et le moins d'interruptions possible. La rigueur intellectuelle que m'avaient léguée mes professeurs du secondaire, l'intransigeance paternelle et les tendances compulsives que j'avais développées pour gérer mon anxiété faisaient de moi le candidat idéal pour ce genre d'emploi. J'étais méticuleux et je vérifiais deux fois plutôt qu'une, mais puisque je faisais régulièrement des heures supplémentaires sans qu'il y paraisse en arrivant plus tôt au bureau, je réussissais à produire du travail de qualité de façon relativement efficace. Le plus beau dans tout ça, c'est que pendant une dizaine d'heures par jour, j'oubliais mon mal de vivre. Toute mon attention allait à chercher le terme juste, fignoler une tournure de phrase ou réviser une règle grammaticale. Je trouvais que je n'en savais jamais assez et je sautais sur toutes les occasions de me perfectionner. Je me mis à lire les dictionnaires terminologiques et à éplucher les ouvrages de linguistique. Même lorsque je lisais des romans, je prenais des notes et je vérifiais tantôt une expression, tantôt l'utilisation d'un mot.

Je n'étais pas ambitieux. Je gravis donc les échelons plus lentement que la plupart, mais je les gravis quand même. On finissait par se souvenir que j'étais là depuis x années et que j'accomplissais du bon travail. On me confia parfois, à titre intérimaire, des fonctions de gestion, mais on constatait rapidement que je n'avais pas l'étoffe d'un chef. J'étais incapable de dire non et il finissait toujours par y avoir un ou deux employés qui abusaient de la situation. Parallèlement à ce manque d'autorité, j'avais un côté sec et cassant quand venait le temps de commenter la qualité du travail de quelqu'un et je froissais immanquablement bon nombre des personnes que je supervisais. J'étais toujours soulagé lorsque l'expérience prenait fin et que je retournais à mes fonctions habituelles. Même après avoir atteint le haut de l'échelle des traducteurs, j'ai refusé de me présenter à des postes de réviseur ou de chef d'équipe. Je préférais n'avoir d'autre responsabilité que la tâche à accomplir.

Mes rapports avec mes collègues étaient froids sans être carrément mauvais. Je n'étais pas plus habile à fraterniser au bureau que je l'avais été dans la cour d'école. En revanche, je ne me mêlais en rien aux jeux d'influence, aux commérages ou aux luttes de pouvoir entre individus ou groupuscules. J'étais donc à l'abri de l'envie, de la rancœur ou des petites mesquineries qui étaient monnaie courante dans plusieurs des ministères où j'ai travaillé. Je n'étais pas perçu comme une menace par qui que ce soit, sauf parfois par la présidente du comité social, qui n'acceptait pas que quelqu'un ne participe pas pleinement aux diverses activités qu'elle organisait. Au pire, on me considérait avec un peu de pitié, au mieux, on tolérait mon excentricité avec indulgence. Au fond, ça ne changeait pas grand-chose pour moi pourvu qu'on me laisse tranquille, ce qu'on faisait la plupart du temps.

Mes collègues étaient nombreux à profiter des horaires de travail variables (heures comprimées pour bénéficier d'un vendredi de congé sur deux, travail à domicile une ou deux journées par semaine, horaire de quatre jours semaine, horaire variable pour l'heure de début et de fin de journée). Je m'en tenais au 9 à 5 (officiellement, puisqu'en réalité, c'était plutôt du 7 à 5), du lundi au vendredi. Contrairement à la majorité des gens, qui vivent parfois un léger stress le dimanche soir, alors que la semaine de travail s'annonce, moi c'est le vendredi qui voyait augmenter mes angoisses. La routine du bureau me servait d'ancre pendant cinq jours et la fin de semaine me relançait à la dérive. Le malaise existentiel un peu flou que j'avais réussi tant bien que mal à tenir à l'arrière-plan durant la semaine me frappait tout d'un coup de plein fouet. Je rangeais soigneusement mon bureau, en plaçant et replaçant des papiers déjà en ordre et j'étirais le plus longtemps possible mes rituels de départ. Je ne voulais pas rentrer chez moi où l'angoisse m'attendait à bras ouverts mais je ne voulais pas non plus me retrouver avec les quelques collègues célibataires qui allaient tromper leur ennui dans un bar. D'ailleurs, après quelques refus de ma part, on a tout simplement arrêté de m'inviter, et j'observais de mon coin les gens partir en petits groupes joyeux et se lancer des « Bonne fin de semaine », des « À lundi » et des « Amuse-toi bien ».

Je finissais par laisser mes pieds me guider et j'aboutissais souvent chez Nate's pour manger un énorme smoked meat dégoulinant de gras et de moutarde. Le petit restaurant de la rue Rideau, jumelé à une boulangerie, était habituellement bondé et la clientèle diversifiée m'aidait à me sentir moins « pas à ma place » que d'habitude. On pouvait y retrouver autant des groupes d'étudiants tapageurs que des couples de personnes âgées qui s'y rendaient fidèlement une fois par semaine, des familles nombreuses qui parlaient fort, riaient, se taquinaient ou s'engueulaient tour à tour, des hommes d'affaires en complet-cravate qui discutaient sérieusement, des personnes seules qui mangeaient en lisant le journal ou des amoureux qui s'embrassaient entre chaque bouchée. De là, je pouvais pousser plus loin jusqu'au Towne, un cinéma de répertoire, ou revenir sur mes pas et aboutir dans un bar plus ou moins achalandé du marché By à échanger des propos plus ou moins intéressants avec le barman ou à me laisser draguer par une femme plus ou moins jolie. Je ne faisais presque jamais les premiers pas, mais je n'étais pas difficile à séduire : rares étaient donc les fois où je rentrais seul à la maison. Ce n'est pas pour me vanter que je dis ça mais plutôt pour vous donner un portrait aussi fidèle que possible de mon mode de vie. Je n'étais pas particulièrement beau, mais il semble que je plaisais aux filles. On m'a parfois dit que j'avais l'air distingué et je ne sais pas exactement d'où venait cette impression. Je pense que mes allures de solitaire et mon côté réservé avaient quelque chose de rassurant pour plusieurs femmes qui ne craignaient pas, avec moi, de se faire pourchasser agressivement. Une de mes blondes, je crois que c'était Jacinthe, m'avait aussi expliqué que la tristesse dans mes yeux déclenchait chez certaines – dont elle, si je me souviens bien – une envie irrésistible de me consoler. J'aboutissais donc au lit, chez la fille de préférence, ce qui me permettait de mieux contrôler le moment où je m'esquiverais par la suite. Si je déguerpissais au lever du jour, c'est que nos ébats n'avaient pas réussi à tromper ma solitude et qu'il valait mieux que nous ne nous revoyions plus. Si je restais prendre un café, c'est que nous allions nous servir l'un à l'autre de planche de salut l'espace de quelques rencontres. Si je déjeunais avec elle, c'est que j'étais amoureux, pour autant que je puisse l'être, et notre relation allait durer quelques semaines, quelques mois, voire un an ou deux, selon sa tolérance à mes limites affectives et la force de son côté « missionnaire ». J'étais une cause désespérée, ce qui, semble-t-il, est ultimement séduisant.

Je survivais donc tant bien que mal, de fin de semaine en fin de semaine, de relation en relation, avec mon travail comme bouée de sauvetage et ma relation avec ma mère comme douleur sourde en fond de tableau.

Le 12 mai, quatre heures du matin (j'ai de plus en plus de mal à dormir)

Je me rapproche d'un chapitre de ma vie qui fut particulièrement douloureux et je me rends compte que je suis prêt à faire bien des détours pour éviter d'en parler. En fait, je n'en ai jamais vraiment parlé. Depuis plus de cinq ans, cette porte est close et je m'applique à ne jamais même l'entrouvrir. Je sais bien qu'il serait absurde de ne pas en parler ici, mais j'avoue que je l'ai considéré. Vous ne l'auriez jamais su. Il y a sûrement plein de détails, d'événements, d'étapes de mon existence que je ne mentionne pas, parce que cela me semble peu pertinent, ou tout simplement parce que je n'y pense même pas. Quelle proportion de notre vie apporte vraiment quelque chose au bilan final ? C'est le genre de question que la plupart des gens préfèrent sans doute éviter. Si je peux résumer en quelques dizaines ou quelques centaines de pages tout ce qui a eu de l'importance dans ma vie, que de moments insignifiants sont sous-entendus. En anglais, le mot « *moment* » peut prendre le sens d'importance, et l'adjectif « *momentous* » veut donc dire d'une grande importance. En français, comme dans ma vie, on ne retrouve pas ce même sens. Que de journées vides, que de contacts qui ne laissent aucune trace, que d'activités passées en pilote automatique, que de repas avalés sans vraiment y goûter, que de paroles creuses, que d'ennui ! D'ailleurs, même les moments qui ont retenu mon attention suffisamment pour que je décide de les imposer à la vôtre n'ont rien de bien spécial. Quelle vie médiocre ai-je donc menée ! Suis-je en cela bien différent de la plupart des gens ?

Je vous imagine protester : votre vie est remplie de moments précieux, importants, lourds de sens. Ce sont plutôt les moments vides qui font exception. Vous imaginez qu'il en est de même pour la plupart des gens. Vous trouvez un peu agaçant cette espèce de cynisme au fond assez facile, qui ne fait aucune nuance et qui balaie du revers de la main tout ce qui nous attache à la vie. Ma foi, vous avez sans doute raison. Si je n'étais pas au moins un peu d'accord avec vous, je ne serais certainement pas encore en train de vous écrire, mû par un courant irrésistible, venu je ne sais d'où, et menant… je le sais encore moins !

Tout ça pour dire qu'il y a plein de choses dont je ne vous parle pas et qui importent peu : elles n'ont pas changé le cours de ma vie et n'influeront en rien sur ma décision ultime. Ma relation avec Violaine (voilà, j'ai réussi à écrire son prénom) n'en fait pas partie et, si je veux continuer à être honnête avec vous et avec moi-même, je devrai vous en parler. Seulement, pas tout de suite. Il me reste quelques étapes à franchir, quelques détours à faire, quelques explications à donner. Ensuite, je serai prêt ou, tout au moins, résigné.

Le 12 mai, au début de l'après-midi

UNE DES TRAMES DE MA VIE que je devrais certainement dérouler afin que vous me compreniez mieux (est-ce donc ça mon objectif, être mieux compris ? Avouons que ça fait pas mal pathétique !), ce sont mes nombreuses tentatives de soulager mon mal de vivre par des médicaments, thérapies, régimes ou autres recettes miracles. Je ne voudrais pas que vous gardiez l'impression qu'enfant, j'ai décidé que j'allais un jour me tuer, et que je n'ai rien fait par la suite pour tenter d'échapper à cette fatalité. Au contraire, j'ai lutté longtemps, parfois avec frénésie, comme le proverbial diable dans l'eau bénite, d'autres fois à contrecœur, comme on avale un légume détesté parce qu'il est censé être bon pour nous. Mes crises de panique me poussèrent au fil des ans à consulter plusieurs médecins, me laissant finalement convaincre puisqu'ils disaient tous la même chose, que je n'étais pas en train de mourir. Quelques-uns m'enjoignirent simplement de « faire un homme de moi » ou quelque chose du genre, l'un me référa à un psychiatre et les autres me prescrivirent des calmants (valium ou autre cochonnerie du genre) sans m'avertir des dangers de leur utilisation. Puisque je n'avais aucune idée de la façon de faire un homme de moi, et que les psychiatres, c'est pour les fous – ce que j'étais peut-être, mais je n'étais pas encore prêt à l'admettre –, j'optai pour la solution la plus facile et me mis à gober des pilules. Au départ, j'étais assez circonspect, limitant ma consommation aux seuls moments où j'étais vraiment en crise d'angoisse. Puis je me rendis compte qu'en avalant un comprimé aux premiers signes de panique, je pouvais parfois prévenir le pire et qu'une pilule en rentrant du travail, accompagnée d'une couple de bières, me plongeait dans un état d'engourdissement ma foi assez agréable, malheureusement de courte durée. Je découvris aussi qu'un petit calmant – ou deux – au milieu de la nuit me permettait de me rendormir plus vite. Au bout de deux ans, j'étais complètement accro et les quelques médecins que je fréquentais pour renouveler mes ordonnances ont commencé à m'avertir de ne pas dépasser les doses recommandées, ce qui revenait à fermer la porte de l'écurie après que le cheval s'est enfui.

En désespoir de cause, lorsque mes crises d'angoisse reprirent de plus belle, je me tournai vers le psychiatre auquel on m'avait référé deux ans plus tôt. Je lui décrivis mes symptômes sans lui parler de ma consommation abusive de médicaments et je sortis de son bureau, un peu penaud, avec en main une nouvelle ordonnance de tranquillisants. Ce n'est que grâce à Linda, deux ans plus tard, que je réussis à me sevrer, non sans mal, de ces pilules insidieuses. J'ai refusé systématiquement par la suite toutes les offres de me prescrire quelque médicament que ce soit, malgré des assurances répétées que, non, celui-ci n'entraînait pas de dépendance, ou que, oui, celui-là n'avait à peu près pas d'effets secondaires. Peut-être n'en serais-je pas là aujourd'hui si j'avais confié à un antidépresseur du dernier cri le soin de rétablir l'équilibre biochimique de mes neurones récalcitrants. Mais que voulez-vous ! Chat échaudé craint l'eau froide !

J'abandonnai donc ma recherche d'une solution pharmacologique à mes symptômes et me tournai, non sans réticence, vers la psychothérapie. Je commençai par placer mon nom sur la liste d'attente d'un psychanalyste dont m'avait parlé mon omnipraticien. On m'avait averti que l'attente pouvait aller jusqu'à un an et plus, ce qui, je l'avoue, faisait bien mon affaire. Je pouvais même espérer que ma demande s'égarerait au fond d'un classeur quelque part et je réussis presque à oublier que j'avais fait cette démarche. Lorsque je reçus l'appel, neuf mois plus tard, j'acceptai le rendez-vous tout en me disant que je l'annulerais probablement : il me semblait d'ailleurs que mes symptômes s'étaient beaucoup allégés et que le traitement s'avérerait donc superflu. J'avais sans doute la responsabilité de laisser la place généreusement à quelqu'un qui en avait vraiment besoin. Malgré tout, je laissais passer les jours et le matin fatidique arriva sans que j'aie téléphoné pour me défiler. Je me présentai donc au bureau du docteur K., au troisième étage d'une maison centenaire de la rue O'Connor, pas très loin de chez moi. Je m'y rendis fidèlement trois fois par semaine au cours des deux années suivantes, trouvant un certain réconfort dans le rituel maintes fois répété : arrivé au troisième, je sonnais et le docteur K. en personne venait m'ouvrir et me saluait de la tête. Si je me présentais quelques minutes trop tôt, il me faisait signe d'attendre dans la minuscule antichambre qui faisait office de salle d'attente. Si j'étais juste à l'heure, nous nous dirigions immédiatement dans la pièce du fond en silence et nous prenions chacun sa place, lui derrière un bureau de chêne massif, assis dans une vieille chaise de bois pivotante, aux bras usés et au mécanisme un peu grinçant, et moi devant lui, dans un énorme fauteuil inclinable d'un brun incertain, sentant vaguement la fumée, la poussière et l'âge. Un autre signe de tête m'indiquait que c'était à moi de commencer et le regard du médecin se posait sur moi. Au début, son silence m'intimidait grandement et je balbutiais, ne sachant trop ce qu'on attendait de moi. J'en vins à apprécier cet espace qui m'était réservé et qui m'obligeait à me retrouver face à moi-même, ce que j'évitais habituellement comme la peste. Je me mis à parler, de tout et de rien, sans idée préconçue, sans direction précise. De temps en temps, le docteur K. posait une question ou commentait ce que je venais de dire, mais la plupart du temps, il me laissait aller. Je n'étais pas certain en fin de compte si c'était parce que le contenu de mes propos avait au fond peu d'importance ou plutôt que tout ce que je disais était lourd d'une signification qui m'échappait. Le silence de mon médecin finit par m'irriter et je cherchai de toutes sortes de façons à provoquer une réaction de sa part. Il en avait sûrement vu d'autres et demeurait imperturbable devant mes commentaires crus, mes questions indiscrètes, mes silences prolongés ou mes retards à répétition. À quelques reprises, je lui avais lancé que j'allais interrompre les séances et il avait répondu sans broncher : « C'est comme vous voulez, mais notre travail n'est pas terminé. » Il n'en fallait pas plus pour que je prenne un autre rendez-vous. Finalement, c'est lui qui a dû mettre fin à nos rencontres : atteint d'un cancer du larynx, il mourut six mois plus tard. Je refusai de voir le collègue auquel il m'avait référé. Je refusai aussi d'admettre quelque sentiment que ce soit face à la fin abrupte de la thérapie. Quelques phrases du docteur K. me revenaient en tête sans que j'arrive à les comprendre : « Il serait normal que vous soyez fâché contre moi de vous laisser tomber ainsi avant que nous ayons terminé notre travail ensemble. Votre père aussi vous a laissé tomber. » Qu'est-ce que mon père avait à voir là-dedans ? Et comment pourrais-je en vouloir à quelqu'un d'être malade et de mourir ? Non, vraiment, tout cela n'avait aucun sens.

Je fis quelques autres tentatives au cours des années qui suivirent, habituellement lorsque mes angoisses refaisaient surface, ou alors lorsque ma blonde du moment m'y encourageait fortement. Je me souviens d'un psychologue barbu et enjoué qui m'avait accueilli à bras ouverts, littéralement. Son étreinte musclée m'avait complètement pris de court et j'avais passé le reste de notre entretien, enfoncé dans un fauteuil mou et enveloppant, à préparer ma sortie. Je crois qu'il avait bien essayé de m'inviter à la détente par la suite et de me faire parler de moi, mais l'huître était bien fermée. Je me suis défilé à la fin, sans lui donner l'occasion de m'emprisonner à nouveau contre lui, et je n'y suis jamais retourné. Il y a eu aussi une femme un peu granola, à l'âge indéfini, qui portait des blouses amples et colorées et de longues jupes fleuries. Elle avait le regard doux et le sourire facile. Elle me surprenait parfois d'un rire exubérant qui pouvait même être un peu contagieux, sans que je sache trop ce que j'avais bien pu dire pour provoquer cette hilarité. Elle me préparait des tisanes et faisait brûler de l'encens pour « nettoyer les énergies de la pièce ». Elle m'enseigna à respirer, ce qui, je dois l'admettre, me fit le plus grand bien. Je retournai la voir à l'occasion pendant quelques années, pour le réconfort de sa présence qu'on pourrait qualifier, j'imagine, de maternelle. Malheureusement, ses excentricités s'accentuèrent avec le temps et lorsqu'elle invoqua les anges, lors d'une rencontre particulièrement bizarre, en promenant ses mains au-dessus de ma tête et devant ma poitrine pour « faire sortir le mauvais », je mis fin à la thérapie, non sans une pointe de regret. Ce ne fut d'ailleurs pas le traitement le plus étrange auquel on ait voulu me soumettre au fil de mes recherches de la cure miraculeuse. On m'hypnotisa pour tenter de me faire découvrir mes vies antérieures, on m'encouragea à frapper sur un gros coussin en criant je ne sais plus trop quoi, on voulut me faire parler à des personnes occupant supposément le fauteuil vide devant moi, on me guida pour que je visualise les traumatismes inscrits dans mon corps puis que je les peigne avec mes doigts sur de grandes feuilles de papier accrochées au mur. À chaque fois, je rentrais chez moi déçu, agacé, découragé et je me promettais bien de ne plus me faire prendre à espérer une solution. Malgré tout, comme le joueur compulsif se laisse accrocher par une poignée de monnaie qui lui tombe de temps en temps dans les mains en clinquant, je trouvais des bribes de réconfort dans mes essais thérapeutiques. L'écoute et le regard sans jugement du docteur K., le sourire généreux de ma dame aux jupes de gitane, l'apprentissage de la respiration, les quelques prises de conscience subites et illuminantes pendant que je débitais ma salade à quelqu'un ou que je me livrais à un quelconque exercice apparemment ridicule, ou même l'accolade sans retenue de mon thérapeute barbu, tout cela m'aidait à me raccrocher temporairement à la vie. L'espace de quelques minutes, quelques heures, quelques semaines, je me sentais moins seul, moins à la dérive, moins dépourvu d'espoir.

C'est peut-être ce même espoir fugitif que j'essaie de retrouver en vous écrivant ces pages que je ne sais plus trop comment nommer : est-ce une confession, une lettre d'adieu, un examen de conscience, une autoanalyse, de la masturbation psychologique ? Je me sens un peu comme l'exhibitionniste stéréotypé qui ouvre son manteau devant un étranger au mieux indifférent, au pire scandalisé (ou est-ce le contraire ?) et qui exhibe son pénis en érection à ce regard, espérant trouver ainsi une confirmation de son importance ou tout au moins de son existence. Sauf que, dans mon cas, l'étranger que vous êtes n'est que virtuel, et la confirmation tellement recherchée se fait donc cruellement attendre. Je suis le seul à me voir dans mon intimité : n'est-ce pas là au fond le propre de chacun ? Pourquoi m'imaginerais-je en souffrir plus qu'un autre ? Aucun médicament, aucune psychothérapie, aucun traitement homéopathique ne peut changer quoi que ce soit à cette solitude existentielle.

Le 12 mai, dix heures du soir

PARALLÈLEMENT à mes cures de désintoxication, mes cours de métaphysique, mes séances de méditation transcendantale et mes régimes macrobiotiques ou autres, je m'accrochai de temps en temps à une femme comme à une bouée de sauvetage. Je vous ai déjà parlé de Louise qui me permit de partir de chez ma mère. Plus tard, il y eut Linda qui ne buvait pas une goutte d'alcool, mais qui cherchait l'âme sœur dans les bars. Elle avait besoin de quelqu'un à sauver, j'avais besoin d'être sauvé, c'était parfait. Elle entreprit de me réformer comme on entreprend un grand ménage, avec énergie, détermination mais assez peu de plaisir. Elle s'installa chez moi sans qu'on en ait jamais vraiment parlé, comme si cela allait de soi. Elle réorganisa les armoires de cuisine, jeta la moitié de mes vêtements (des vieilleries, déclara-t-elle) et repeignit la chambre à coucher en lilas pour mettre en valeur sa couette fleurie de mauve et de vert. J'avais l'impression de dormir chez ma vieille tante, surtout que Linda avait peu d'appétit sexuel et ne faisait donc l'amour que par charité envers moi : en tout cas, c'est ce qu'elle me laissait entendre, ce qui contribua évidemment à freiner mes ardeurs. Elle mit assez vite le doigt sur ma dépendance aux médicaments et planifia méticuleusement un sevrage graduel mais impitoyable. Je me soumettais à ses diktats sans protester, trop occupé que j'étais à tenter de survivre aux vagues de nausée et de panique qui me submergeaient régulièrement. Lorsque je commençai à aller un peu mieux et que je me mis au jogging trois fois par semaine, Linda se mit à me reprocher de l'abandonner et me soupçonna d'infidélité, projet qui m'avait certainement effleuré l'esprit, mais que je n'avais pas encore réalisé. Plus je protestais, plus elle s'entêtait.

Elle : Tu arrives tard. Où étais-tu ?
Moi : Un travail de dernière minute à terminer.
Elle : Tu peux me le dire si tu as rencontré quelqu'un d'autre. J'aimerais mieux le savoir.
Moi : Voyons donc. J'étais au travail.
Elle : J'ai appelé à ton bureau. Il n'y avait pas de réponse !
Moi : La secrétaire était sûrement partie. J'ai pas entendu le téléphone.
Elle : Évidemment, ça t'a pas passé par la tête que je pouvais m'inquiéter.
Moi : C'était juste une demi-heure. Je pensais pas que tu t'inquiéterais, en effet.
Elle : Pourquoi tu me dis pas la vérité ? Ça serait plus simple. T'as rencontré quelqu'un d'autre, c'est évident.
Moi : Qu'est-ce que tu veux que je dise ? Tu vas croire ce que tu veux de toute façon.
Elle (*Pleurant.*) : C'est pas vrai. Je demande pas mieux que d'être rassurée. Mais t'es même pas capable de faire ça.
Moi (*Les bras ballants.*) : Excuse-moi. Je voulais pas te faire de peine.
Elle (*D'un ton accusateur.*) : Tu dis ça, mais tu finis toujours par m'en faire pareil.
Moi : […]

Elle : Dis quelque chose.
Moi (*Haussement d'épaules.*) : [...]
Elle : Tu vois bien que tu t'en fous. (*S'enferme dans la chambre en claquant la porte et en sanglotant.*)

Le pire, c'est qu'elle avait raison. Je m'en foutais pas mal, après un bout de temps, même qu'elle m'agaçait de plus en plus avec ses crises de jalousie à répétition que je n'arrivais ni à prévenir ni à apaiser. Je me suis toujours senti impuissant devant les larmes d'une femme et je me suis souvent éloigné pour fuir ce sentiment désagréable. Linda finit par me quitter pour un jeune alcoolique au chômage, qui, lui, semblait l'apprécier vraiment. Je n'en eus que peu de peine, mais je me sentis quand même vaguement coupable, conscient d'avoir reçu plus que ce que j'avais réussi à donner, ce qui fut sûrement vrai de la plupart de mes relations amoureuses.

Un an ou deux plus tard, je rencontrai Jacinthe, avec qui je vécus quelques années de paix relative. Je ne l'avais pas rencontrée dans un bar, ce qui vaut la peine d'être souligné parce que dans mon cas, c'était assez exceptionnel. C'était une amie d'un de mes collègues de bureau. Un jour qu'elle était venue le rencontrer après le travail, elle avait entamé une conversation avec moi, croyant m'avoir déjà vu quelque part. À force de chercher où nous aurions pu nous retrouver au même moment, elle finit par nous découvrir des connaissances en commun : nous avions, semble-t-il, suivi des cours à l'université à la même époque. Je la croisai plusieurs fois au fil des mois et elle s'arrêtait toujours quelques minutes pour me parler. Elle finit par me demander mon numéro de téléphone, que je lui donnai parce que je n'avais pas de raison de ne pas le faire. Je ne savais pas trop si j'espérais qu'elle appelle ou non. La solitude me pesait toujours, mais j'avais appris que d'avoir une femme dans sa vie n'était pas de tout repos! Finalement, ce qui devait arriver arriva. En fait, je ne sais pas pourquoi je le présente comme ça parce que bien que je sois souvent assez soumis et généralement résigné, je ne me considère pas fataliste pour autant. Si j'ai fini par vivre avec Jacinthe, c'est parce que je l'ai bien voulu et non parce que cela s'inscrivait dans une sorte de destin préordonné! Elle me téléphona quelques semaines plus tard et m'invita à souper chez elle avec des amis. Je trouvai ses amis prétentieux mais la conversation était intéressante, la nourriture, abondante, et le Chianti coulait à flots. Après le départ des visiteurs, je restai pour aider à laver la vaisselle. Nous nous dirigeâmes vers la chambre à coucher comme si cela allait de soi que je dorme avec elle. Nous étions un peu ivres tous les deux, et lorsqu'elle suggéra qu'on attende au lendemain matin pour faire l'amour, je trouvai la proposition pleine de bon sens. L'odeur du café me réveilla quelques heures plus tard alors que Jacinthe, coiffée, maquillée et vêtue d'un long caftan bourgogne, arriva dans la chambre en portant un plateau bien garni : cafetière, tasses, pot de crème, sucrier, jus d'orange, rôties et confitures. La bouche pâteuse, les yeux lourds, la barbe longue et les cheveux en bataille, je me sentais fort intimidé devant son allure pimpante. J'étais donc allé prendre une douche. Elle m'avait offert une trousse genre « Air Canada » contenant rasoir et crème à barbe, brosse à dents, peigne et shampooing, en plus de mettre à ma disposition une robe de chambre qui avait sûrement appartenu à un ex. Nous avions ensuite déjeuné au lit, avec des petites tables conçues pour cela, parce que Jacinthe (je le découvris plus tard) ne voulait surtout pas de miettes sur les draps. Après que la vaisselle fut ramassée, lavée et rangée, elle suggéra que nous retournions au lit pour accomplir, me sembla-t-il, la prochaine tâche sur la liste. Ce n'était pas qu'elle manquât d'ardeur ou d'enthousiasme, mais sa manie de tout planifier dans les moindres détails laissait peu de place à la passion et à l'improvisation. Elle me questionna sur mes préférences sexuelles (je la voyais prendre des notes mentalement) et m'enseigna les meilleures façons de la stimuler et de la faire jouir. C'était clair, net et rassurant.

Elle avait établi tous les paramètres de notre relation de la même façon et je l'avais laissée faire. Ses exigences étaient nombreuses mais généralement assez faciles à satisfaire pour quelqu'un comme moi qui tends à prendre les choses au pied de la lettre et qui n'y cherche pas de sens caché. Au début, on se voyait trois fois par semaine, les mardis, vendredis et samedis. Le mardi, je rentrais dormir chez moi après la soirée parce qu'elle tenait à ses huit heures de sommeil lorsqu'elle travaillait le lendemain. Le vendredi, on soupait ensemble et je couchais chez elle. Je revenais chez moi à l'heure du midi le samedi, pour que nous puissions, chacun de son côté, faire le ménage et les courses pour la semaine. Le samedi soir était régulièrement consacré à des soupers avec des amis (elle en avait plusieurs), le plus souvent chez elle, car elle était excellente cuisinière et aimait bien recevoir. Je la quittais le dimanche matin pour aller reconduire ma mère à la messe.

Au bout de quinze mois de ce régime, mon bail arrivait à échéance et Jacinthe proposa que j'emménage chez elle. Il ne me serait pas passé par la tête de refuser même si la perspective ne m'enchantait pas tellement. Elle invoquait des arguments raisonnables et logiques. Pourquoi payer deux loyers lorsqu'on passe tout ce temps ensemble ? D'ailleurs, on s'entendait bien, on était compatibles sexuellement, on avait plusieurs intérêts en commun, il était normal de passer à la prochaine étape. Tous ses amis étaient d'accord pour dire qu'elle n'avait jamais eu de chum aussi gentil. Son appartement était plus grand que le mien, un peu plus loin de mon travail, mais situé dans le quartier plus agréable de la Côte-de-Sable.

Je laissai donc aller, à regret, mon appartement de la rue Metcalfe, et je déménageai mes pénates chez Jacinthe. Au début, cela se passa plutôt bien, à mon grand soulagement. Je connaissais bien sa routine et je m'assurais de ne pas lui marcher sur les pieds. Elle m'encouragea à reprendre le jogging que j'avais peu à peu abandonné et continua de son côté à faire de l'aérobie deux ou trois fois par semaine. Je voyais ma mère les mercredis et dimanches, elle sortait avec ses amies tous les jeudis soir. On allait au cinéma le mardi, on faisait l'épicerie le samedi matin et on recevait des amis le samedi soir. Elle ne protestait jamais si je restais un peu plus tard au travail, ou même lorsque je m'enhardis à ne pas rentrer souper et à aller voir un film seul à l'occasion. J'aurais dû être au paradis, et je dois admettre que j'étais, sinon heureux, tout au moins relativement bien. Pourtant, je sentais sourdre en moi à l'occasion des rages qui m'effrayaient autant par leur soudaineté que par leur intensité. Je n'en laissais rien paraître, en tout cas je ne le pense pas, même si l'effort déployé pour contenir ces bouffées de colère était parfois presque au-dessus de mes forces. Cela pouvait ne durer que quelques minutes mais le plus souvent, je passais quelques heures dans cet état, voire un jour ou deux. Je lui en voulais violemment, irrationnellement, sans bornes, et les explications que je m'inventais pour justifier ces accès de rage étaient aussi farfelues que ma rage elle-même : elle m'avait forcé à laisser aller un appartement que j'aimais (le sien était plus beau, plus éclairé et plus tranquille, mais ce n'était pas le mien), elle était toujours la première à prendre sa douche le matin (ce que je préférais au fond parce que je prenais ensuite tout mon temps), elle choisissait le poste de radio sans me consulter (c'était un de mes postes préférés, mais elle aurait pu au moins demander), elle décidait de tous les menus (je n'avais pas d'opinion sur la question mais quand même), elle nettoyait de façon compulsive et tenait à le faire elle-même pour que ce soit fait à son goût (admettez que c'est un peu dévalorisant) et ainsi de suite. J'ai conclu un peu plus tard, vu la façon dont notre relation s'est terminée, que j'avais probablement le même effet sur elle qu'elle sur moi. Elle non plus n'en laissait rien paraître, sauf qu'elle échappait parfois des taquineries assez mordantes sur mon je-m'en-foutisme ou mon manque d'opinions bien arrêtées. J'avais assez d'expérience avec les remarques sarcastiques de ma mère, ou encore de mon père à l'époque, pour savoir que de répliquer ne ferait que jeter de l'huile sur le feu et provoquer une plus grande méchanceté. J'esquissais donc mon léger haussement d'épaules passe-partout et j'encaissais le coup. Jacinthe n'étant pas ma mère n'insistait pas et la conversation n'allait pas plus loin.

Cela faisait un bon six mois que nous vivions ensemble lorsque Jacinthe m'annonça que nous étions attendus au chalet de ses parents pour la fin de semaine, enfin qu'elle était attendue et que je devais l'accompagner. Elle ne parlait jamais de sa famille et je n'étais pas du genre à poser des questions. J'avais été un peu surpris lors de notre premier temps des Fêtes ensemble qu'il ne soit jamais question de rencontres familiales, mais je m'étais dit qu'elle était bien chanceuse sans pousser la réflexion plus loin. Je savais que ses parents habitaient Longueuil et qu'ils avaient un chalet dans les Laurentides. Je savais aussi qu'elle avait deux frères à qui elle téléphonait quelques fois par année. La convocation à une rencontre familiale (à l'occasion du baptême du premier petit-fils) me prit donc par surprise. Jacinthe sembla particulièrement fébrile au cours des jours qui suivirent. En plus de m'acheter le pyjama que je vous ai déjà décrit, elle multiplia les recommandations sur la façon de me comporter et les sujets à éviter. Il ne fallait rien révéler de personnel à sa mère qui ne cherchait qu'une occasion pour s'immiscer dans sa vie (Jacinthe devait être bien énervée pour me faire ce genre de recommandation, à moi qui n'aurais pas su comment révéler quelque chose de personnel même en essayant très fort !). Il fallait éviter de discuter de politique avec son père (fédéraliste) et son frère aîné (séparatiste) et de religion avec l'autre frère (adepte du mouvement charismatique). Une des belles-sœurs (je ne me souviens plus laquelle) était un peu fêlée ; il ne fallait surtout pas la contredire sur quoi que ce soit. L'autre belle-sœur était correcte si elle ne buvait pas trop, mais après quelques verres de vin, elle essayerait probablement de me séduire et je finirais par me faire tapocher par son mari. Je finis par poser la question qui me brûlait les lèvres depuis que Jacinthe m'avait annoncé qu'elle avait été ainsi convoquée : « Es-tu sûre que tu veux qu'on y aille ? » J'eus droit à un regard foudroyant et à un « Tu peux pas comprendre ! » aussi agressif qu'énigmatique.

Je garde des bribes de souvenirs décousues mais très nettes de cette visite plutôt surréaliste. Je me souviens de son père, bonhomme jovial et accueillant, ému aux larmes en voyant sa fille. Je n'avais pas compris la réserve de Jacinthe et sa froideur face à l'effusion de son père. À la fin de la soirée, après avoir été témoin de propos de plus en plus déplacés à mesure que la bouteille de scotch se vidait, après que son père en fut presque venu aux coups avec son fils aîné à qui il reprochait son manque de respect, et après l'avoir vu sombrer dans un sommeil ivre et ronflant dans un fauteuil du salon, je compris mieux la réaction de Jacinthe. Je me souviens aussi de sa mère qui s'affairait, courant de l'un à l'autre pour offrir un morceau de tarte, une tasse de thé, un sandwich, une limonade. Elle n'écoutait pas la réponse et revenait avec un plateau bien garni, insistant pour qu'on prenne au moins un petit quelque chose. Si elle rencontrait une oreille attentive, la mienne en l'occurrence, elle se perchait sur un bras de fauteuil, comme si elle était prête à repartir d'une seconde à l'autre, et se mettait à livrer ses états d'âme les plus intimes. Elle s'interrompait le temps de reprendre son souffle et de poser une question indiscrète. Elle se servait du silence gêné qui suivait comme d'un tremplin pour relancer son monologue. Elle me raconta, lors de cette première rencontre, les multiples déboires amoureux de Jacinthe, l'hospitalisation récente d'une de ses brus qui avait « perdu la boule », ses inquiétudes face à son fils impliqué dans le mouvement charismatique depuis quelques années au point de n'être plus « parlable », les problèmes de santé de son mari qu'elle attribuait à un léger surplus de poids et non à un alcoolisme chronique, et sa détresse face aux conflits entre les différents membres de sa famille qui étaient tous têtus comme des mules. Je me souviens d'être allé me coucher seul, pendant que Jacinthe et ses frères, armés de quelques bouteilles de vin, avaient entrepris de se vider le cœur avec force larmes et grincements de dents. Je me souviens de l'irruption de sa mère dans notre chambre vers huit heures le lendemain matin, avec son offre de café et son sourire forcé. Je me souviens d'avoir pensé que j'avais trouvé une famille plus folle que la mienne. Je ne me souviens pas tellement du baptême qui eut lieu l'après-midi sauf que je sais qu'il faisait beau à en pleurer. Je n'ai pas souvent pleuré dans ma vie, après les pleurs inévitables de l'enfance, mais ce jour-là, je me rappelle avoir voulu pleurer, pleurer parce qu'il faisait beau et que personne ne s'en rendait compte, pleurer pour le bébé dont cette famille de fous n'allait faire qu'une bouchée, pleurer pour Jacinthe qui se tenait toute raide à mes côtés, le regard clos et les traits durs, pleurer parce que parfois, c'est ce qu'il y a de mieux à faire. Évidemment, je ne le fis pas. Le retour en voiture se fit en silence. Le fossé qui avait déjà commencé à s'installer entre Jacinthe et moi ne fit que se creuser davantage. Je ne sais même pas lequel des deux parla en premier d'une séparation. Nous étions d'accord et soulagés de l'être. J'eus la chance de trouver un appartement dans le même immeuble que j'habitais précédemment et je repris mes habitudes de célibataire. Je n'étais pas près de revivre un jour avec une femme.

Le 13 mai, sept heures du matin

LA DESCRIPTION de ma vie de célibataire ne serait pas complète si je ne vous parlais pas de mes amitiés. Vous voilà surpris. Je vous ai laissé entendre que j'étais un grand solitaire qui fuyait généralement les contacts sauf pour se réfugier occasionnellement dans les bras d'une femme. C'est vrai en grande partie. Mais j'ai tout de même eu la chance au cours de ma vie de rencontrer quelques personnes avec qui j'ai entretenu des liens plus intimes, des amis quoi. Je vous ai déjà parlé de Dédé à l'école primaire. Son départ avait laissé un trou béant dans mon quotidien, et ce n'est que plusieurs années plus tard que j'acceptai de laisser quelqu'un d'autre prendre autant d'importance dans ma vie.

En fait, accepter est un bien grand mot parce que Jean-Pierre ne me laissa pas vraiment le choix. Il m'adopta comme ami, je crois que c'était en onzième ou douzième année, et bien qu'on ne se voie pas très souvent, je le considère toujours comme mon meilleur ami. On s'était rencontrés dans l'équipe de joueurs d'échecs de l'école. Alors que j'étais un joueur prudent, systématique et analytique, Jean-Pierre était reconnu pour ses attaques peu orthodoxes qui menaient parfois à des victoires rapides et spectaculaires ou encore à des défaites retentissantes et tout aussi rapides. Il ne s'en formalisait pas, accueillant l'un et l'autre résultat avec un éclat de rire bon enfant. À ses yeux, nous étions faits pour nous entendre. J'étais un peu abasourdi, ne comprenant pas ce qu'il pouvait voir en moi. Je me rendis compte avec le temps que peu de gens arrivaient à tolérer ses débordements. Tout le monde se regroupait autour de lui à la cafétéria ou dans les rencontres sociales, alors que son énergie et ses talents de conteur agissaient comme des aimants. Personne ne voulait toutefois se trouver seul avec lui bien longtemps tellement sa présence avait quelque chose d'écrasant : il prenait toute la place, monopolisait la conversation, parlait fort, riait à tue-tête et se fâchait tout aussi bruyamment pour un oui ou pour un non. Nous étions, effectivement, faits pour nous entendre. Je m'accommodais de ses changements d'humeur – j'en avais vu d'autres – je le laissais divaguer sans l'interrompre, suivant ses coq-à-l'âne tant bien que mal, je lui prêtais de l'argent en me doutant bien que je ne serais jamais remboursé, je passais l'éponge lorsqu'il avait des paroles dures à mon endroit et je le suivais dans ses projets parfois abracadabrants, n'offrant qu'une résistance passive assez facile à surmonter. En retour, il ouvrait tout grand les fenêtres de mon petit monde terne et ennuyeux. Il réussissait toujours à susciter mon intérêt, il me déridait souvent, et de temps en temps, l'espace de quelques heures glorieuses, il me communiquait sa rage de vivre, et je saisissais avec lui une bribe de bonheur en passant.

Nous avons fait ensemble quelques voyages inoubliables, entre autres, sur le pouce jusqu'en Floride, ainsi qu'une traversée de l'Ouest canadien dans une vieille minoune qui avait failli nous lâcher sur les bords du lac Supérieur, mais qui miraculeusement avait tenu le coup jusqu'à Vancouver où elle avait rendu l'âme en apercevant le Pacifique. Alors que je dérivais d'un programme à l'autre durant mes premières années à l'université, Jean-Pierre avait réussi à terminer un bac en commerce. Il avait cette capacité enviable de pouvoir faire la fête jusqu'au petit matin et de se lever apparemment frais et dispos après deux ou trois heures de sommeil pour aller assister à un cours à huit heures et demie. Je l'avais perdu de vue pendant quelques années alors qu'il avait pris la direction de Montréal, ville qui lui semblait plus à la mesure de ses aspirations et de ses projets. Il y habite toujours, aux dernières nouvelles, et il retontit chez moi quelques fois par année, généralement sans prévenir.

Ses visites sont (ou devrais-je dire étaient?) toutes mémorables et me laissent généralement épuisé après deux jours, mais tout de même content d'avoir dans ma vie ce personnage plus grand que nature. Lors d'une de ces fins de semaine mouvementées, il m'avait annoncé, presque en passant, qu'il venait d'apprendre qu'il était maniaco-dépressif et qu'on lui avait prescrit un médicament qu'il ne se résignait pas à prendre. Ça m'avait sonné et je n'avais pas su quoi dire, non qu'il m'ait laissé la chance de me prononcer. Je peux maintenant classer les visites qui suivirent selon qu'il prenait son lithium ou non, mais ça m'a pris beaucoup de temps à comprendre ce qui se passait. J'étais peut-être trop habitué au caractère imprévisible de ma mère pour juger étranges les humeurs noires de Jean-Pierre ou ses enthousiasmes presque délirants. C'est lorsqu'il se pointait chez moi plutôt calme, pas très gai mais pas déprimé non plus, que j'avais l'impression que quelque chose ne tournait vraiment pas rond. Je le comprenais tout à fait d'arrêter périodiquement ces pilules qui l'arrachaient à la tourmente, mais qui le rendaient un peu plus comme moi, détaché, indifférent, avec la vague impression de ne pas être complètement vivant. C'est sûrement très égoïste de ma part de préférer le Jean-Pierre excessif dans ses plaisirs comme dans ses malheurs. Et pourtant, je l'ai ramassé assez souvent à la petite cuiller pour être bien placé pour apprécier l'ampleur de son désespoir. Quand il s'enfonçait, il ne le faisait pas à moitié, et j'ai eu plusieurs fois très peur que la vague de fond ne l'emporte sans que j'arrive à le retenir. Il a d'ailleurs fait plusieurs tentatives de suicide et ne doit qu'à un ange gardien particulièrement vigilant d'être encore en vie aujourd'hui. C'est lui qui va pouvoir vraiment apprécier l'ironie que ce soit moi qui me suicide avant lui! À moins qu'il ne pique une de ces saintes colères dont j'ai souvent été témoin: il en serait bien capable. Que je sois mort ne freinerait aucunement son élan, même qu'il s'en donnerait probablement à cœur joie, m'abreuvant d'insultes et lâchant des litanies de sacres bien sentis. Pardonne-moi Jean-Pierre, je sais que je ne t'ai jamais laissé poser ce geste ultime et qu'il n'est pas juste que je me le permette alors que je te l'ai toujours interdit. Je sais aussi qu'il est tout aussi injuste que je ne t'offre même pas la chance que tu m'as souvent accordée, celle de tenter de me convaincre de continuer à vivre. Tu as raison de m'en vouloir, mais que veux-tu! Je ne suis pas différent aujourd'hui que je l'ai toujours été: c'est toi qui as toujours pris le taureau par les cornes, pendant que moi, je me suis toujours défilé. Bien que ma décision soit bien arrêtée et que je sois sûr de mon coup, je ne me serais pas vu t'en parler et affronter ta réaction. Peux-tu vraiment me blâmer? Tu aurais sans doute remué ciel et terre pour me faire changer d'avis, et crois-moi, cela aurait été peine perdue. Nous nous serions fait du mal pour rien. Alors fâche-toi si ça peut te soulager, gueule un bon coup, et puis tourne la page. C'est tout ce qui reste à faire.

J'ai la chance de compter deux autres personnes au nombre de mes amis: Marie-Claire et François, qui étudiaient en traduction avec moi et qui formaient un couple depuis toujours. Faisant partie de la minorité des étudiants qui prenaient les cours au sérieux, nous nous étions assez vite repérés comme des alliés possibles et nous sommes passés des échanges de notes de cours aux séances d'étude agrémentées de quelques bières, puis aux repas en commun, le plus souvent chez eux. Ils ont vu passer les femmes dans ma vie et les invitaient toujours dans notre petit cercle, parfois plus facilement que moi. Ils m'exhortaient souvent à l'indulgence, particulièrement avec Jacinthe quand je prenais des airs exaspérés. « Mais voyons, détends-toi un peu. C'est vrai qu'elle peut être pointilleuse mais toi non plus, tu n'es pas un modèle de tolérance. Respire par le nez et laisse-la faire. Elle t'aime beaucoup, tu sais. » Et quand je finissais par rompre, ils ne passaient pas de commentaires, se contentant de m'inviter un peu plus souvent à souper et de me téléphoner régulièrement. Ils étaient les seuls à savoir que je vivais parfois des crises de panique et l'un ou l'autre était presque toujours disponible pour m'accompagner au bout du fil le temps que la vague passe. Ce fut un choc pour moi quand ils se sont séparés, il y a plus de dix ans maintenant. Je me sentais comme un petit garçon trahi par ses parents et j'ai longtemps espéré secrètement qu'ils reviennent ensemble. « On va rester tous les deux tes amis », m'assuraient-ils, chacun de son côté. « Mais ce ne sera pas pareil », protestais-je comme un enfant qui ne veut pas qu'on le raisonne. Effectivement, ce ne fut plus pareil, mais j'ai réussi à conserver les deux amitiés. Ma neutralité légendaire me fut ici d'une grande utilité. J'accueillais les confidences des deux côtés sans broncher, sans prendre parti et sans me prononcer. Oui, je pouvais comprendre, je savais bien comment elle ou lui pouvait être, j'avais été témoin de toutes les tentatives que chacun avait fait pour améliorer les choses et je devais bien me rendre à l'évidence que la séparation était inévitable, voire désirable. Je restai discret comme une tombe et résistai à toutes les tentatives subtiles ou moins subtiles de faire de moi un messager : « Je voudrais tellement qu'elle sache que…, Je ne lui ai jamais expliqué que… » ou un espion : « Je me demande s'il a…, A-t-elle fini par… » Au bout de quelques années, ils s'étaient suffisamment réconciliés pour se voir à l'occasion et nous eûmes même quelques soupers à trois teintés de nostalgie, mais somme toute fort agréables. Ils ont maintenant chacun un nouveau conjoint (eh oui ! François vit avec un homme lui aussi) et bien que j'aie accepté qu'ils me les présentent, je refuse de les fréquenter comme couples. Je vois François pour une soirée mensuelle de souper-cinéma-bière et de conversations qui peuvent sembler anodines à l'auditeur non averti, mais qui disent vraiment tout ce qu'il y a à dire entre deux amis. Quant à Marie-Claire, je la rencontre deux ou trois fois par mois pour le lunch. Elle s'inquiète pour moi et je l'assure toujours que je vais aussi bien que possible étant donné les circonstances, ce qui est probablement aussi vrai que trompeur. Elle n'insiste pas et fait semblant de me croire. Et pour ne pas avoir l'impression de lui avoir menti, je passe les jours suivants à tenter d'aller moins mal. Je réussis même parfois à me croire.

Le 13 mai, sept heures et demie du soir

VOILÀ ! Je suis à court de digressions. Il ne me reste qu'à aborder le chapitre de ma vie que je tente d'éviter depuis le début de cet exercice. Maintenant que j'y suis, je me désole de sa banalité. J'ai aimé une femme et je l'ai perdue. C'est tout. Est-il vraiment nécessaire d'en dire plus ? J'imagine que si la nécessité était mon critère depuis le début, je serais toujours devant une page blanche. Ce n'est donc pas la bonne question. Est-ce que je veux vraiment en dire plus ? Et malheureusement, (pour moi et pour vous), la réponse est oui. Oui, je veux tout raconter, depuis le début, avec plein de détails superflus. Je veux me plonger complètement dans cette époque bienheureuse et douloureuse et magnifique et ordinaire. Je vais peut-être m'y noyer : c'est le risque que je suis prêt à prendre. Qu'est-ce qui me reste à perdre ?

J'ai rencontré Violaine dans un bar du Vieux-Hull. Peut-être nous y étions-nous croisés, sans nous voir, des dizaines de fois avant ce soir-là, car elle était comme moi une habituée de l'endroit. Il était passé minuit et j'en étais à me demander si j'allais me commander une autre bière ou tout simplement rentrer chez moi. Je l'avais remarquée du coin de l'œil, qui échangeait des taquineries avec Louis, le barman. En fait, je ne savais pas qu'il s'appelait Louis : c'est elle qui me l'a appris plus tard. Je ne sais pas trop pourquoi cela m'avait frappé, qu'elle sache son nom et le tutoie, alors que je fréquentais cet établissement depuis des années sans être allé plus loin qu'un signe de tête et un commentaire banal sur la température ou le hockey. Je ne m'étais jamais même demandé comment cet homme s'appelait ou quelle sorte de vie il menait. Violaine, d'autre part, savait tout sur lui : son divorce et son statut de père une fin de semaine sur deux, ses études à temps partiel en criminologie ou en sociologie, je ne sais plus trop, son conflit avec le propriétaire du bar au sujet des horaires de travail quand son fils était avec lui, son amour du jazz, et les problèmes de santé d'un de ses deux chiens qui lui coûtait les yeux de la tête en traitements variés mais dont il ne se décidait pas à se départir. Quand j'ai ainsi remarqué Violaine pour la première fois, en train de converser avec Louis dont j'ignorais le prénom, j'ai tout de suite envié ce dernier d'être l'objet de son attention. C'était complètement fou parce que je ne connaissais rien d'elle, mais j'admirais sa façon d'écouter, la tête légèrement inclinée, le regard attentif, le corps penché vers lui : elle semblait suspendue à ses lèvres et je l'imaginais éperdument amoureuse de lui. J'aurais voulu qu'on me regarde, moi, de cette façon-là. J'avais eu le goût de sortir tout à coup et je m'étais levé brusquement, laissant tomber quelques pièces sur le comptoir et partant sans me retourner, mais avec l'impression (ou l'espoir) qu'elle m'avait suivi du regard.

J'étais ensuite retourné à ce bar un peu plus souvent que d'habitude, à différentes heures, espérant sans me l'avouer l'apercevoir de nouveau. Selon sa version des faits, ce serait elle qui m'aurait remarqué en premier et qui aurait fait les premiers pas. Je ne l'ai jamais détrompée. Elle s'était assise à côté de moi, s'était présentée et avait commencé à me poser des questions sur mon travail, mes passe-temps, mon appartement, mes projets d'avenir, mes goûts en cuisine, en littérature et en destinations de voyage. J'étais un peu abasourdi et je répondais un peu n'importe quoi sans être capable de réfléchir. Je n'en revenais tout simplement pas qu'elle soit là devant moi tout à coup et qu'elle me regarde comme ça, comme si tout ce que je disais était du plus grand intérêt. Au bout de quelques heures, elle en savait plus sur moi que la plupart des gens et je ne savais rien d'elle. Non, ce n'est pas tout à fait vrai. Je savais qu'elle avait une fossette juste du côté droit, que même lorsqu'elle souriait, ses yeux gardaient quelque chose de sérieux, qu'elle avait quelques cheveux argentés dans son épaisse chevelure brune, qu'elle fumait avec avidité, tout en s'en excusant d'un haussement d'épaule qu'elle aurait voulu désinvolte mais qui paraissait plutôt défaitiste, qu'elle portait un chandail rouge légèrement échancré qui laissait parfois entrevoir la dentelle claire d'une camisole, qu'elle avait tendance à ne pas finir ses phrases ou ses questions, laissant ses mains esquisser un geste flou. Je savais que j'allais finir au lit avec elle et cette conviction m'enlevait tout sentiment d'urgence.

Avoir su ce soir-là tout ce que j'ai appris plus tard, aurais-je agi autrement ? Je me suis souvent posé la question au cours des quatre années houleuses qui suivirent, et même un peu par la suite. J'en arrive toujours à la même conclusion : j'aurais été complètement incapable de faire autre chose que ce que j'ai fait. J'étais emporté par un courant plus fort que moi et, comme maintenant, je n'avais d'autre choix que de le suivre jusqu'au bout.

À la fin de la soirée, je l'avais raccompagnée chez elle à pied : elle vivait à dix minutes à peine de notre lieu de rencontre. Elle s'était excusée de ne pas pouvoir m'inviter chez elle, expliquant qu'elle ne voulait pas réveiller ses filles. Elle avait déchiré une languette de son paquet de cigarettes pour y inscrire son numéro de téléphone, me l'avait glissée dans la main, avait appuyé trop brièvement ses lèvres contre les miennes et s'était éclipsée. J'étais resté quelques minutes sur le trottoir devant chez elle, un peu hébété, jusqu'à ce qu'un grand frisson me secoue et me ramène à la réalité : il faisait un de ces froids profonds de janvier qui vous pénètre de bord en bord et qu'il faut affronter avec vigueur, de face, en marchant d'un pas rapide et décidé. J'arrivai chez moi en un temps record, n'ayant eu connaissance ni de mon parcours ni de mes extrémités gelées. Je me sentais euphorique, affolé, déstabilisé, amoureux. Ma raison tentait bien de faire quelques percées : « Voyons, ne pars pas en peur. Tu ne la connais pas, cette fille. Et puis, elle fume : tu détestes l'odeur de la cigarette. En plus, elle a des enfants, tu te rends compte ? Des enfants avec un « s ». Tu t'imagines comme ça serait compliqué de fréquenter une femme qui a des enfants ? » Peine perdue. J'étais complètement séduit, liquéfié, fait à l'os. J'aurais voulu l'appeler tout de suite, la bombarder de questions à mon tour, tout apprendre sur elle, juste me retrouver en sa présence de nouveau.

J'avais réussi à tenir jusqu'après le brunch chez ma tante (ne me demandez pas de quoi il fut question ce jour-là, j'étais dans une sorte de transe). Aussitôt rentré chez moi, j'avais composé le numéro de Violaine. C'est elle qui avait répondu, la voix un peu enrouée. Elle avait semblé contente de mon appel mais non surprise. J'imaginais qu'elle avait cet effet-là sur tous les hommes. J'avais suggéré qu'on se voie, mais elle ne pouvait pas, elle avait ses filles. Elle était libre deux soirs plus tard, parce que sa mère prenait les enfants après l'école, et les amenait souper et voir un film. J'avais quitté le bureau plus tôt (une première pour moi) et j'étais allé la rencontrer à la fin de son quart de travail ; elle était aide-infirmière à l'hôpital du

Sacré-Cœur. Nous étions passés chez elle parce qu'elle voulait prendre une douche avant de sortir manger. Elle nous avait servi un verre de vin blanc, un Chardonnay je crois, et nous avions bu presque en silence. Elle avait feuilleté son courrier, vérifié ses messages téléphoniques, rangé les traces du déjeuner de ses filles, pendant que je la suivais du regard tout en faisant semblant de m'intéresser à sa collection de disques. Elle nous avait ensuite versé un deuxième verre et s'était dirigée vers la salle de bains en me lançant nonchalamment que je pouvais me joindre à elle si je voulais. J'étais resté figé quelques instants, pris entre le désir ardent de lui sauter dessus et la panique de ne pas être à la hauteur. Je m'étais répété depuis deux jours que j'allais prendre mon temps, apprendre à la connaître, ne rien brusquer, l'apprivoiser graduellement et bâtir quelque chose de solide. Je me l'étais imaginée blessée par la vie, un peu farouche, et je m'étais vu dans le rôle de l'homme sensible et attentif qui allait la conquérir doucement mais sûrement. Je n'avais pas prévu cette invitation subite qui me bousculait, ou en tout cas qui bousculait tous les scénarios romantiques que j'avais élaborés. Finalement, je n'ai pas vraiment pris de décision, j'ai juste laissé le temps s'écouler, torturé par des élans qui s'opposaient jusqu'à ce qu'il soit trop tard pour agir. Elle était revenue dans le salon habillée d'un jeans et d'une blouse en soie mauve, ses longs cheveux encore humides y laissant des traces foncées. Je me sentais gêné et je ne savais pas trop comment me donner une contenance. J'avais tenté de m'excuser ou de m'expliquer, ce qui revient au même, et elle m'avait interrompu d'un geste de la main et d'un sourire. « Tu veux sortir souper ou on se commande quelque chose? », m'avait-elle demandé, en produisant une petite pile de menus variés. « C'est comme tu veux », avais-je répondu en faisant un pas vers elle. Elle avait répondu en riant : « Mais non, c'est comme tu veux ! » et elle avait fait un pas vers moi. Je lui avais pris les menus des mains en lui disant de fermer les yeux et d'en piger un. Elle avait tiré du lot le menu du restaurant chinois de son quartier. Avant qu'elle ne rouvre les yeux, j'avais franchi le dernier pas qui nous séparait et je l'avais embrassée. Toutes mes réticences s'étaient envolées d'un coup alors qu'elle avait fondu contre moi. Quand, deux heures après, je courus vers le restaurant chinois chercher notre repas, je ne touchais pas à terre. Je n'atterris, brutalement, que six mois plus tard.

Pendant les premiers mois de notre idylle, je retrouvai le sentiment d'extase que j'avais vécu adolescent, en proie à une ferveur religieuse de tous les instants. Nous nous voyions somme toute assez peu souvent, mais elle occupait toutes mes pensées. Je vous avais averti que tout ça était bien banal : je nageais dans les clichés et j'en étais fort aise. Parce que Violaine ne voulait pas au départ que je rencontre ses filles (elle avait eu quelques très mauvaises expériences avec des chums précédents), on volait des moments là où on le pouvait. Quand elle avait des jours de congé la semaine, je m'absentais parfois du travail et nous passions la journée enfermés chez moi ou chez elle, savourant chaque moment de notre trop rare intimité. Autrement, elle me rejoignait à « notre » bar près de chez elle une fois les filles endormies. Deux ou trois fois, nous étions même retournés chez elle par la suite, entrant comme des voleurs, avec force chuchotements et rires étouffés, et j'étais reparti sur la pointe des pieds aux petites heures du matin, ayant juste le temps de retourner chez moi prendre une douche et me raser avant le travail. Ces changements à ma routine, qui m'auraient déstabilisé quelques mois plus tôt, ne me perturbaient aucunement. Je n'avais, il me semble, jamais été aussi heureux.

Plus ou moins consciemment, lorsque je décrivais la situation à François, et surtout à Marie-Claire, j'omettais plusieurs éléments, pour éviter sans doute qu'ils ne jettent une douche froide sur mon bonheur par une question de trop, un sourcil relevé ou une incitation à la prudence. Je savais bien au fond que j'aurais dû avoir au moins un pied sur les freins, sinon deux. Violaine avait trente-deux ans, j'en avais quarante et un. Elle n'avait pas terminé son secondaire et ne lisait à peu près jamais, à part quelques revues ou journaux à potins. Elle avait complété son éducation par un menu éclectique d'émissions de télé : jeux questionnaires, documentaires, talk-shows américains (Oprah était son idole), séries dramatiques, tribunes téléphoniques. D'autre part, elle refusait d'écouter les nouvelles (c'est trop déprimant), ne s'intéressait ni à la politique (qu'est-ce que ça va changer dans ma vie que ce soit un gouvernement libéral ou péquiste, ce sont tous des hommes, tous des menteurs et tous des voleurs), ni à la culture (je ne comprends rien à ces affaires-là). Elle avait deux filles de cinq et neuf ans, de deux pères différents. Elle avait été mariée au premier, Marc, pendant trois ans. Il n'avait pas la fibre paternelle et s'était éclipsé quelques mois après la naissance du bébé. Le père de la petite Mélissa, lui, était un homme charmant mais volage, dont la famille veillait à ce qu'il s'acquitte de ses responsabilités. Sa relation avec Violaine avait duré quatre ans et avait été ponctuée de plusieurs infidélités des deux côtés. La séparation s'était faite relativement en douceur et il versait assez régulièrement à son ex ses chèques d'une pension alimentaire modeste, mais qui avait le mérite d'avoir été déterminée à l'amiable. Ce montant ajouté à son maigre salaire permettait à peine à Violaine de joindre les deux bouts : elle arrondissait les fins de mois en acceptant quelques quarts de travail supplémentaires, de nuit de préférence (ce qui payait davantage), et en faisant parfois des ménages pour des médecins de l'hôpital. Elle ne faisait pas de budget (à quoi bon, il restera rien à la fin du mois de toute façon), n'avait aucunes économies, aucune police d'assurance et aucune marge de manœuvre. Le moindre surplus était aussitôt flambé en cigarettes, en vin ou en soupers au resto. Le moindre imprévu semait chez elle une panique intense mais de courte durée, jusqu'à ce qu'elle trouve une solution à court terme, qui colmatait la brèche mais ne réglait en rien le problème. À sa place, j'aurais été dévoré d'anxiété et j'admirais sa désinvolture apparente devant les aléas du quotidien.

J'avais fini par avouer à mes amis que Violaine fumait (puisqu'ils allaient finir par la rencontrer, cela semblait futile de le cacher). Ils avaient eu la réaction prévisible : « Toi, tu sors avec une fumeuse ? Alors que ça fait des années que tu pestes contre les gens qui fument et que tu te demandes tout haut comment tu as pu être assez imbécile pour fumer un jour. Eh bien ! tu es vraiment amoureux, il n'y a pas d'autre explication possible ! » Je ne leur avouais pas, toutefois, puisque j'ai pris du temps à me l'avouer à moi-même, que Violaine buvait. Les indices ne manquaient pas pourtant, mais je refusais de considérer tout élément qui aurait pu gâcher mon bonheur un tant soit peu. Qui étais-je, de toute façon, pour chercher la paille dans l'œil de ma voisine ?

Le 14 mai, quatre heures du matin

JE NAGEAIS DONC dans le plein bonheur ou la pleine négation, ce qui revient probablement au même. La dure réalité avait commencé à me rattraper six mois plus tard, alors qu'elle m'avait téléphoné un lundi soir vers dix ou onze heures. J'avais du mal à saisir ce qu'elle disait au bout du fil parce qu'elle sanglotait en parlant. N'arrivant pas à comprendre ce qui l'avait mise dans cet état, je lui avais tout simplement dit que j'arrivais et j'avais pris un taxi jusque chez elle. Elle s'était jetée dans mes bras en s'excusant de m'avoir dérangé. Elle avait les cheveux en désordre, le visage défait, les yeux rouges et elle sentait l'alcool à plein nez. Elle m'avait vu regarder la table de la cuisine où s'étaient accumulées les bouteilles de bière vides et avait esquissé un de ses gestes flous, à la fois défaitiste et rebelle. Pendant une heure ou deux, je l'avais écoutée vomir son désespoir, ses rancœurs et ses reproches. Elle en voulait au monde entier, à la vie, à ses parents, à son employeur, à ses collègues, à ses ex et à moi. Moi qui avais été élevé dans la ouate, que pouvais-je comprendre à ce qu'elle devait affronter tous les jours? J'étais comme tous ces autres avant moi qui ne pensent qu'à eux, qui ne veulent que prendre et qui disparaissent quand on a vraiment besoin d'eux. Elle en avait assez que sa vie soit toujours aussi difficile, d'essayer si fort et de n'arriver à rien. Ce serait sûrement mieux d'en finir là (je n'étais pas certain si elle parlait de notre relation ou de la vie en général et je n'osais pas poser la question). Je l'avais laissée parler et brailler jusqu'à ce qu'elle s'épuise et elle s'était finalement endormie dans un fauteuil du salon. Je m'étais affairé à ramasser les bouteilles, vider les cendriers et ranger la cuisine. J'avais osé jeter un coup d'œil dans la chambre des filles pour vérifier si elles ne s'étaient pas réveillées, mais à mon grand soulagement, elles semblaient dormir. J'ai vite renoncé à l'idée d'emmener Violaine jusque dans la chambre et j'ai plutôt retiré la douillette de son lit pour la couvrir. Je me suis ensuite assis bien droit sur une chaise de cuisine pour la veiller.

Il me semble que je ne ressentais rien. Peut-être aurait-il été plus sain que j'aie de la peine, que je lui en veuille ou que j'aie peur. Ces émotions auraient certes été fort légitimes. Mais je me sentais au contraire plutôt calme. Je ne savais pas ce qui avait pu mettre Violaine dans cet état, mais j'étais certain de pouvoir l'aider. Moi qui avais toujours senti que mon propre équilibre était très précaire, voilà que je me découvrais des ressources insoupçonnées. J'allais être son ancre, son roc, son refuge. Comment ai-je pu être aussi innocent ? C'était d'ailleurs une des injures préférées de ma mère à l'endroit de mon père : as-tu déjà vu un innocent pareil ? Faut croire que ça aussi, ça fait partie de mon héritage : je suis un innocent. Enfin, je l'étais. Je crois que je le suis moins, mais je n'en suis pas sûr.

Vers cinq heures du matin, Violaine s'était réveillée juste assez pour s'étonner que je sois encore là, me remercier assez froidement d'être venu la voir et m'assurer que tout allait bien et que je pouvais m'en aller. Elle était ensuite allée se coucher dans sa chambre et j'étais parti, un peu perplexe. Elle m'avait rappelé assez tard ce soir-là, s'excusant de m'avoir dérangé et affirmant que ce n'était rien, qu'elle avait parfois un peu les bleus comme ça, mais que c'était passé maintenant et qu'elle se sentait beaucoup mieux. Je ne demandais qu'à la croire (voir « innocent » un peu plus haut) et je la laissai facilement changer de sujet et faire comme si de rien n'était. Sans le savoir, j'étais en train d'établir les grandes lignes d'un scénario qui allait se reproduire de plus en plus fréquemment au cours des années suivantes, avec variations dans la forme mais peu dans le fond.

Quelques jours plus tard, Violaine m'avait annoncé qu'elle était prête à ce que je rencontre ses filles, ce qui m'avait rassuré quant au statut de notre relation, mais m'avait plongé du même coup dans un état de panique tant je sentais que l'occasion était importante pour l'avenir de ladite relation. Elle était probablement aussi nerveuse que moi puisque plus le moment approchait, plus elle multipliait les recommandations, les mises en garde, les explications et les analyses détaillées du profil psychologique de chacune de ses filles. Julie, la plus vieille, allait probablement être un peu farouche : il faudrait l'apprivoiser graduellement, ne pas forcer la note. Il ne faudrait pas non plus avoir l'air indifférent et ce serait sûrement de mise de lui poser quelques questions au sujet de son école ou de ses cours de ballet, mais sans insister. Mélissa serait sûrement plus facile d'accès : elle n'aurait besoin que d'un minimum d'encouragement pour raconter plein de choses ou montrer sa collection de toutous. Il fallait toutefois éviter de lui donner toute l'attention et d'avoir l'air de s'intéresser à elle plus qu'à sa sœur. Par-dessus tout, il était primordial d'être naturel et de ne pas jouer la comédie. Les deux filles étaient très perspicaces et décèleraient facilement toute fausse note. Il allait sans dire qu'aucun contact physique ne devrait se produire entre Violaine et moi, à part un petit bec rapide en arrivant et en partant : il fallait quand même avoir l'air d'être bien ensemble mais pas trop amoureux. J'en avais la tête qui tournait et c'est raide comme une barre que je me suis présenté chez elles le vendredi suivant vers cinq heures.

Les trois filles étaient en pyjama pour leur soirée hebdomadaire de pizza et de vidéo de Disney. Violaine et Mélissa, les deux brunes un peu rondelettes, étaient en rose princesse alors que Julie, mince, pâle et blonde, était en bleu fée. J'avais tout de suite eu l'impression d'être un intrus dans le cercle magique de leur intimité. Violaine m'avait tiré par la main vers le salon et m'avait présenté. Mélissa avait ajusté sa couronne incrustée de pierres précieuses en m'annonçant qu'elle était Cendrillon et que sa sœur était la fée sa marraine. Julie avait fait une moue qui aurait pu vouloir dire bien des choses et je m'étais contenté de sourire. Je n'ai jamais su parler aux enfants et je n'avais aucune idée de ce qu'on attendait de moi. Les banalités qui peuvent tenir lieu de conversation entre grandes personnes n'ont pas leur place avec les enfants : moi qui étais déjà assez démuni auprès des adultes, je me sentais complètement dépassé par la situation. Heureusement, Mélissa se chargea de faire seule la conversation pendant que Violaine commandait la pizza. Je n'eus qu'à écouter, impressionné par l'assurance de ce petit bout de femme. Julie, de son côté, s'était plongée dans un livre et je l'enviais un peu de pouvoir ainsi s'échapper. Comme sa mère me l'avait prédit, Mélissa m'invita à aller rencontrer ses toutous, ce à quoi Julie réagit par une autre de ses moues énigmatiques.

Pendant que la petite fille me présentait ses trésors un à un, je reconnaissais chez elle des expressions, des intonations et les gestes des mains un peu flous de sa mère et je me sentais tomber sous son charme. Je m'enhardis à poser quelques questions : « Et celui-là, il s'appelle comment ?

Est-ce que tu as un préféré? Et ça, c'est quelle sorte d'animal? » J'étais presque déçu quand Violaine nous rappela au salon pour regarder le film. Nous nous enlignâmes tous les quatre sur le sofa, Violaine entre ses deux filles, et moi au bout, à côté de Mélissa. Je me souviens nettement de m'être senti divisé en deux: une partie de moi savourait la douceur du moment, acceptait de se laisser entraîner dans l'histoire de la pauvre orpheline à l'odieuse belle-mère, souriait des commentaires fréquents de Mélissa qui m'avertissait de bien regarder parce que, j'allais voir, la fée allait apparaître, ou le prince allait arriver, ou minuit allait sonner. Lorsque Julie, d'un ton exaspéré, l'enjoignait de se taire, elle se mettait plutôt par me tirer par la manche en pointant l'écran et en chuchotant: « Regarde, regarde bien! » J'échangeais alors avec Violaine des regards complices comme s'il était tout à fait naturel que je sois là, dans ce cocon familial, à partager cette expérience. L'autre partie de moi, pendant ce temps, était dans tous ses états et observait la scène avec un mélange de cynisme, d'incompréhension et de terreur. J'avais du mal à respirer et je jetais régulièrement des regards angoissés vers la porte pour m'assurer qu'elle était toujours là et qu'il y avait toujours moyen de m'échapper. Qu'est-ce que je faisais là? Je n'étais pas équipé pour ça. C'était complètement fou: j'étais en train de passer mon vendredi soir à regarder un film de Disney, avec ma blonde et ses deux filles. Je me sentais ridicule, inadéquat, hors de mon élément. Je préparais ma sortie, ma fuite, la rupture.

Pourquoi ne suis-je pas parti? J'y ai pensé pourtant. Après le film, Violaine était allée border ses filles et le processus s'était éternisé. J'entendais des bribes de conversation, des négociations qui n'en finissaient plus, une dispute entre les deux sœurs au sujet de la lampe allumée ou pas, une chanson, une histoire, le ton qui monte,

Violaine qui réapparaît en s'excusant (Je ne sais pas ce qu'elles ont ce soir, elles ne sont jamais comme ça), le verre d'eau, le verre d'eau renversé, Violaine qui se fâche, Mélissa qui pleure, des chuchotements, une autre chanson. J'aurais eu cent fois le temps de partir. Je suis resté. Pour le meilleur et pour le pire. Surtout le pire.

Le 14 mai, six heures du soir

AU DÉBUT, je suis resté parce que j'étais éperdument amoureux de Violaine. Un peu plus tard, je suis resté parce qu'elle avait vraiment besoin de moi, ce qui était pour moi aussi aphrodisiaque que la chimie initiale. À la fin, je restais pour le souvenir d'avoir été amoureux, et aussi – je dois l'admettre puisque cet exercice serait vraiment futile si je ne tentais pas au moins d'être complètement honnête – pour les filles, par un vague sentiment de responsabilité, de loyauté et d'attachement. Non que, au bout du compte, je leur aie été d'une grande utilité...

Après avoir déterminé que ma rencontre avec Julie et Mélissa s'était bien déroulée, Violaine continua sa campagne systématique qui s'appelait probablement « Opération Nouveau Chum ». Elle ne me consulta pas directement et je ne me souviens pas qu'on en ait jamais vraiment discuté. Je passais tout simplement de plus en plus de temps chez elles, je finis par coucher là quelques fois par semaine, je déménageai de plus en plus d'effets personnels, jusqu'à ce que la décision s'impose de soi. Tout en sentant que j'étais emporté par un courant irrésistible et tout en étant aussi terrifié qu'excité, j'avais l'impression de m'engager complètement, avec tout ce que j'étais, comme je ne l'avais peut-être jamais fait. J'acceptais de changer complètement de vie et de me retrouver dans un univers imprévisible dont je ne connaissais pas le fonctionnement. Ce n'est malheureusement qu'une fois que j'en fus sorti que je commençai à comprendre un peu plus dans quoi je m'étais embarqué.

Bien que Violaine adorât ses filles, elle avait une bien curieuse façon de jouer son rôle de mère. Même moi qui n'avais aucune expérience avec les enfants et qui n'avais pas eu un modèle familial des plus édifiants, j'étais souvent pris de court devant ses réactions. Parfois impulsives, parfois calculées, elles étaient souvent contradictoires, et Violaine les justifiait après coup par un mélange de sagesse populaire, de recettes de grand-mère, de conseils pédagogiques glanés dans une revue ou à la télé, de rationalisations plus ou moins déraisonnables et d'intuition féminine, cette dernière étant, c'est bien établi, infaillible!

Elle nourrissait ses filles de macaroni au fromage, de croquettes de poulet et de multivitamines. Elles buvaient du jus de pomme ou du Pepsi, sauf pour la collation avant le coucher. Pour éviter le sucre ou la caféine qui pourraient nuire au sommeil, Violaine leur servait plutôt des biscuits avec un grand verre de lait, auquel Mélissa ne touchait pas à moins que sa mère ne cède et n'y ajoute une bonne rasade de sirop au chocolat. Une copie du Guide alimentaire canadien, ramené de l'école par Julie, trônait bien en évidence sur le réfrigérateur. De temps en temps, généralement alors qu'une des filles devait noter comme devoir scolaire son menu de chaque jour, Violaine faisait l'effort de couper des carottes, d'ouvrir une boîte de petits pois ou de préparer une salade de laitue iceberg généreusement arrosée de sauce crémeuse. Graduellement, sans qu'on en ait discuté, je pris en charge l'épicerie et la cuisine. Moi qui ne m'étais jamais vraiment donné la peine de bien m'alimenter, je me mis à lire des livres de cuisine et de nutrition, à tenter de reproduire des versions simplifiées des menus gastronomiques de Jacinthe, à consulter ma tante, Marie-Claire et une de mes collègues qui avait de jeunes enfants, pour finalement acquérir au fil des ans un répertoire limité de recettes faciles, équilibrées et adaptées aux palais peu cultivés de mes trois convives.

Alors que Violaine m'abandonna somme toute assez facilement la responsabilité des repas, elle ne voulait surtout pas que je me mêle de discipline ou d'éducation : « Tu n'as jamais eu d'enfant, tu ne peux pas comprendre. Une mère sent ces choses-là », ou l'argument massue : « Ce sont mes filles, pas les tiennes. » J'en étais réduit à un rôle de spectateur intéressé, parfois amusé, parfois exaspéré, souvent dépassé, toujours impuissant. La maisonnée me semblait fonctionner dans le chaos le plus total. La routine variait selon les horaires de travail de Violaine et surtout selon ses humeurs. Elle passait du laxisme le plus total à une autorité sans souplesse. Elle pouvait laisser les filles écouter la télé jusqu'à neuf heures, même sur semaine, et ensuite s'énerver et les disputer parce qu'elles n'étaient pas couchées et endormies à neuf heures et cinq. Elle pouvait les protéger avec sensibilité et délicatesse, comme dans sa façon de m'introduire dans leur vie graduellement, pour éviter de les brusquer. D'un autre côté, elle semblait trouver tout à fait normal de quitter l'appartement en catimini, quand ses filles étaient couchées, pour aller finir la soirée dans un bar. Après que je fus installé chez elle, elle ne comprenait pas mes objections à cette façon de faire et finissait souvent par sortir seule après avoir insisté – souvent du bout des lèvres – pour que je l'accompagne. Elle s'interdisait de fumer devant ses filles et s'enfermait régulièrement dans la salle de bains, le ventilateur en marche, pour en ressortir dix minutes plus tard sentant la boucane et le rince-bouche. Nous faisions tous comme si de rien n'était.

En bonne consommatrice de psychologie populaire, elle s'était donné comme mission de bâtir l'estime de soi de ses enfants et avait déterminé que la meilleure façon d'atteindre son but était de les abreuver de superlatifs. Elle insistait pour que je me joigne à elle dans des expressions exagérées d'admiration pour la moindre chose, ce que je n'arrivais jamais à faire avec assez d'enthousiasme à son goût : « Elles n'ont pas de père, ces enfants-là. Tu pourrais te forcer un peu pour montrer de l'intérêt. On dirait que tu t'en fous. » C'était peine perdue, je n'étais pas doué pour le superlatif, qui perdait selon moi tout son effet à force d'être utilisé à toutes les sauces. D'autre part, lorsqu'elle se fâchait, Violaine semblait oublier d'un seul coup tous ses beaux principes et pouvait, en quelques phrases assassines, faire s'effondrer le château de cartes qu'elle avait patiemment érigé. Elle attaquait ses filles là où elles étaient le plus vulnérables, critiquant l'apparence de Julie (sa pâleur, sa maigreur, ses épaules voûtées) ou les peurs de Mélissa (T'es juste un bébé!) Puis, devant le dégât qu'elle venait de faire, devant Julie qui blêmissait davantage et se recroquevillait sur elle-même, devant Mélissa qui tentait de tenir tête en protestant les yeux pleins d'eau mais qui, n'y arrivant pas, se mettait à hurler, devant moi qui la regardais sans comprendre comme le chien fidèle à qui son maître donne un coup de pied, devant tout ça, elle en remettait. Elle nous reprochait nos réactions ou nos absences de réactions, nous blâmait collectivement de tout ce qu'elle avait à endurer dans la vie et finissait par s'enfermer dans sa chambre où elle sanglotait bruyamment, nous laissant plantés là, coupables de ne pas savoir soulager sa souffrance.

La relation avec les ex, les deux pères absents, était un autre aspect de ma nouvelle vie que j'avais du mal à comprendre. Violaine qui avait beaucoup souffert du départ de son père lorsqu'elle avait six ou sept ans, avait décidé d'entretenir auprès de Julie le mythe du père idéal qui pensait beaucoup à sa fille et que seules des circonstances malheureuses gardaient éloigné. J'ai été témoin à quelques reprises de conversations téléphoniques où elle utilisait tous les moyens de pression possible, de la séduction flagrante aux menaces hostiles en passant par les larmes et les supplications, pour que Marc consente à envoyer une carte ou un cadeau d'anniversaire, ou accepte enfin de venir chercher Julie l'espace d'une demi-journée. J'ai aussi vu Violaine, dont les moyens financiers étaient très limités, choisir parmi les cadeaux de Noël qu'elle réussissait à faire à ses filles le plus beau et le plus dispendieux pour y apposer un petit carton disant : « À Julie, de ton papa qui t'aime beaucoup ». Quelques années plus tard, Julie m'avait avoué, dans un de ses rares moments de confidence, que cela faisait longtemps qu'elle n'était pas dupe, mais qu'elle jouait le jeu pour ne pas faire de peine à sa mère.

Toutes les deux fins de semaine, Guillaume (Appelez-moi Billy) venait, lui, chercher sa fille, distribuant à la ronde becs et accolades, bons mots et taquineries affectueuses. Il réussissait même à faire sourire Julie, ce qui n'était pas évident. Il flirtait gentiment avec Violaine, me lançait un clin d'œil et repartait avec Mélissa pour la laisser ensuite chez ses parents où il la reprenait le dimanche. Sans doute pour que Julie ne se sente pas lésée, Violaine interrompait Mélissa chaque fois qu'elle voulait raconter ses fins de semaine chez ses grands-parents, et elle s'assurait même de parler avec enthousiasme de ce qui s'était passé en l'absence de la benjamine. Julie et moi étions souvent surpris d'apprendre combien nous nous étions amusés au cours des deux jours précédents. Alors qu'il était interdit de critiquer Marc devant les enfants, Guillaume ne jouissait pas de la même immunité, loin de là. Il suffisait que Mélissa exprime une demande, de jouet, de vêtement ou de cours de patinage, pour que Violaine l'invite à en parler à son père qui nageait dans l'argent pendant qu'il laissait sa fille vivre dans la misère. Les parents de Guillaume n'échappaient pas à la vague de rancœur, eux qui avaient l'air de penser que de gâter leur petite-fille deux fois par mois les absolvait de toute responsabilité.

Au départ, j'excusais Violaine en me disant qu'elle faisait sûrement de son mieux avec des ressources limitées pour gérer une situation compliquée qui en aurait défait des pas mal mieux outillées qu'elle. Même que je la trouvais souvent attendrissante dans son approche pour le moins fantaisiste en éducation. Avec le temps, mes réserves d'indulgence s'épuisaient, je m'impatientais de plus en plus devant ses inconstances, ses sautes d'humeur et son immaturité : je voyais de trop près combien ses gestes étaient lourds de conséquence. Vers la fin de notre relation, c'était devenu invivable. Je ne pouvais plus rester simple témoin, mais elle ne tolérait toujours pas que je m'en mêle. Ça finissait par des engueulades de plus en plus virulentes (c'est-à-dire qu'elle gueulait et que je m'enfonçais dans un silence glacial) qui nous laissaient tous les quatre meurtris. Je me sentais comme la victime de sables mouvants qui tente de ne pas trop se démener parce que cela ne ferait qu'accélérer l'enlisement, tout en prenant conscience – ô horreur! – que de ne pas se démener conduira inexorablement à cette même fin.

Le 15 mai, six heures du matin

IL ME SEMBLE que je ne parle que de ce qui allait mal et je crains de vous tracer un portrait fort biaisé de la situation. Je sais bien que l'objectivité est difficile à atteindre surtout lorsque les émotions sont en jeu, mais est-ce une raison pour ne même pas essayer ? À chaque phrase que j'écris pour décrire tel ou tel aspect de ma relation avec Violaine, je me mets à douter, comme si j'avais tout inventé ou plutôt comme si la réalité était tellement insaisissable que tout énoncé était nécessairement approximatif, exagéré, manquant cruellement de nuance. Je pense que je préfère insister sur tout ce que j'ai souffert parce que c'est moins douloureux que de me souvenir des moments tendres. Pendant que nous vivions ensemble, je faisais le contraire : je minimisais les difficultés et je me raccrochais aux instants de bonheur. Pourquoi m'est-il donc si difficile de simplement dire les choses telles qu'elles étaient ? Suis-je en cela différent de chacun de nous ? N'écrivons-nous pas chacun son propre roman, maquillant la réalité pour qu'elle corresponde à l'image qu'on s'en fait, parfois à son avantage, parfois à son détriment ? Pourquoi est-il donc si difficile de voir les choses seulement telles qu'elles sont, ni plus, ni moins ? Au fond, est-ce même vraiment souhaitable ? Pourquoi la réalité objective serait-elle préférable à celle que je me crée ?

Il faut que j'arrête de tout remettre en question. Tout ce que j'ai écrit, je le croyais au moment de l'écrire. C'est la seule réalité à laquelle je puisse m'accrocher. Lorsque je laisse les mots couler d'eux-mêmes, sans les examiner, les juger ou en freiner le flot, c'est là qu'ils me semblent le plus vrais. Je vais donc me laisser aller à vous raconter combien j'ai été heureux durant ces années tumultueuses.

J'avais été séduit au départ par la grande capacité d'écoute de Violaine et elle continua à me faire de temps en temps cadeau de sa présence attentive. L'espace de quelques minutes ou de quelques heures, le reste du monde cessait d'exister et je me sentais aimé, tout simplement. Je n'avais pas besoin de faire quoi que ce soit, de dire quelque chose en particulier, d'être d'une certaine façon, de jouer un rôle ou de remplir une fonction quelconque. C'était doux à en pleurer, ce que je fis d'ailleurs, une fois ou deux, alors que le bonheur m'envahissait soudainement et manquait m'étouffer. Je n'avais pas l'habitude. Mes larmes me surprenaient et je tentais de les excuser, mais Violaine me faisait taire d'un signe de tête et d'un doigt sur les lèvres. Parfois, c'était elle qui pleurait doucement en se blottissant contre moi et je l'enveloppais de mon silence. Je n'aurais pas voulu être ailleurs que là, exactement où j'étais, comme j'étais, à ce moment précis de mon existence. Y a-t-il plus grand bonheur que cela?

Violaine faisait l'amour comme elle fumait, avec avidité et concentration, comme si chaque cigarette allait être la dernière. Elle semblait toujours pressée, ce que j'attribuais au départ à notre situation d'amants clandestins, volant des moments ensemble quand on le pouvait. Mais même lorsque nous faisions vie commune et que nous avions toute la soirée et toute la nuit devant nous, elle allait toujours plus vite que moi. Si je détachais un de ses boutons, elle enlevait sa blouse et son soutien-gorge d'un seul mouvement et offrait ses seins à ma bouche et à mes mains. Si je l'embrassais un tant soit peu passionnément, elle détachait la boucle de ma ceinture, ouvrait ma braguette et y glissait la main pour saisir mon pénis qui, obéissant, se gonflait sous ses doigts. Elle s'impatientait si je tentais de ralentir le processus, si je la caressais délicatement, du bout des doigts, si je refusais de la pénétrer tout de suite. Je ne résistais pas longtemps. Même lorsque les choses s'étaient détériorées entre nous, même vers la fin alors que je m'étais muré dans une indifférence hostile, je n'étais toujours pas capable de lui résister. Elle ne venait plus souvent vers moi, mais quand elle le faisait, avec ce même élan direct et passionné, mon corps répondait au sien avec une intensité qui me surprenait et je fermais les yeux, honteux d'éprouver encore tant de désir alors que je ne l'aimais plus.

Pendant que je vivais avec Violaine des moments de bonheur intense qui allaient en se raréfiant, je découvrais une autre sorte de bonheur dans mes rapports avec Mélissa et Julie. Moi, le célibataire endurci, le vieux garçon à qui l'idée d'avoir un enfant n'avait jamais même effleuré l'esprit, je me retrouvais à jouer un rôle qui, avouons-le, ressemblait dangereusement à un rôle de père. C'est un rôle que je n'avais certes pas choisi, que personne ne voulait vraiment que je joue et auquel j'ai résisté le plus longtemps possible, avec toute la force de ma passivité habituelle. Comme Violaine avait l'habitude de tout décider seule, c'était facile pour moi de rester en retrait, de garder un rôle de spectateur, spectateur certes très intéressé mais spectateur quand même. Je ne sais pas exactement comment je suis passé de ce rôle à celui d'acteur. Ce ne fut pas par décision consciente: au contraire, malgré les indices qui se multipliaient, j'ai nié très longtemps mon rôle de parent substitut. Cela se fit de façon insidieuse, graduellement, et lorsque je me l'avouai enfin, il était trop tard pour reculer ce qui – je m'en rends compte en l'écrivant – m'arrangeait bien au fond.

Violaine partait pour le travail tôt le matin, avant que les filles ne soient même levées. Avant que j'emménage, c'est Julie qui s'occupait de réveiller Mélissa, de préparer le déjeuner et les lunchs, et de s'assurer de ne pas manquer l'autobus scolaire. Les premières semaines, je me contentais de la regarder faire, impressionné par son efficacité et respectant son refus de toute aide de ma part. Et puis, un matin, elles eurent besoin de moi quand Julie découvrit au fond du sac d'école de Mélissa une feuille de permission à faire signer pour une sortie au musée cette journée-là avec une cotisation à payer de quatre dollars. Julie grondait Mélissa d'avoir laissé traîner ça dans son sac, Mélissa pleurait à l'idée de manquer sa sortie et elles semblaient toutes les deux avoir oublié ma présence. Je sortis un stylo pour signer la permission, mis l'argent dans une enveloppe et leur promis d'appeler leur mère pour qu'elle communique avec l'école. Il fut tout naturel par la suite que je me mette à vérifier le sac de Mélissa tous les soirs pour être au courant de toute communication venant de l'école. Je me mis à inscrire sur un calendrier les dates importantes, les activités à l'école, les rencontres de parents, les spectacles de ballet. Surpris d'apprendre que les filles n'avaient jamais vu de dentiste, je leur avais pris un rendez-vous et je devins du même coup le préposé attitré aux brosses à dents matin et soir. Je devins aussi la personne ressource pour les devoirs, Violaine n'ayant ni l'intérêt ni les aptitudes pour ces choses-là. Je n'étais peut-être pas fin pédagogue, mais je disposais de réserves infinies de patience et j'entretenais avec les livres quels qu'ils soient un rapport positif. Cela me servait de toile de fond alors que Mélissa peinait sur sa lecture ou sur sa liste de mots à étudier pour la dictée. Je me surprenais à ajouter des détails loufoques au texte, à chercher des rimes amusantes ou à inventer une histoire pour alléger la tâche que la petite fille abordait comme une corvée. Au lieu de se réjouir du succès de mes efforts, Violaine semblait m'en vouloir, ce que je ne comprenais aucunement, me demandant ce qui me valait ses taquineries un peu méchantes ou ses critiques à peine voilées.

Julie, de son côté, restait plus réticente, préférant se débrouiller seule pour les devoirs comme pour le reste. Je pris l'habitude de m'installer à la table de la cuisine pour faire des mots croisés pendant qu'elle travaillait et je la sentais qui m'observait du coin de l'œil. Je prenais le dictionnaire pour chercher les quelques mots obscurs sur lesquels j'achoppais à la fin et au bout d'un certain temps, je me mis à lui demander son aide. « Je cherche un mets antillais en cinq lettres, qui commence par BL et qui a un F comme quatrième lettre. » Elle se penchait sur les pages du *Larousse*, laissait glisser lentement son index le long des colonnes, lisant chaque mot à voix basse jusqu'à ce qu'elle trouve. Puis elle s'exclamait : « Blaff, c'est ça, b-l-a-f-f ». Je la remerciais et je remplissais soigneusement ma grille. Elle retournait à ses devoirs, mais le silence entre nous prenait une autre texture, moins lisse, plus complexe.

C'est finalement Harry Potter qui nous a rapprochés, Julie et moi. Elle avait inscrit le premier tome de la série, *Harry Potter à l'école des sorciers*, sur sa liste de Noël. Violaine, qui ne fréquentait ni les librairies ni les bibliothèques, m'avait confié la mission de dénicher le livre, ce que je fis diligemment. En constatant la popularité du livre auprès des jeunes lecteurs, j'avais été intrigué et je m'en étais procuré un exemplaire dans sa version originale dont le titre était nettement plus évocateur : *Harry Potter and the Philosopher's Stone*. Je l'avais dévoré en une soirée, acceptant de me prêter au jeu de cet univers parallèle et admirant l'imagination fertile de l'auteur. Après que Julie eut terminé sa lecture, elle aussi en une journée, elle accepta de me prêter son livre. J'étais curieux de voir comment plusieurs des termes fantaisistes de Rowling avaient été traduits. Julie, dont les notions d'anglais étaient encore assez rudimentaires, avait tout de même trouvé très intéressante la comparaison du vocabulaire et elle avait eu l'idée de dresser une liste des équivalences. Nous avons passé plusieurs soirées, moi devant le livre en anglais, elle devant la version française, à ajouter des mots à la liste. Nous discutions aussi de la qualité de la traduction, jugeant parfois que le terme français était particulièrement bien trouvé et d'autres fois, que le mot original était beaucoup plus évocateur. J'avais entrepris d'en lire quelques pages à Mélissa tous les soirs, en créant des voix pour chacun des personnages : je laissais toujours Julie jouer le rôle d'Hermione et elle le faisait avec de plus en plus d'assurance. Nous avons eu hâte ensemble de lire le deuxième tome, puis le troisième. Julie m'impressionna en lisant le quatrième tome en anglais, bien qu'elle tînt quand même à le lire aussi en français pour comprendre certains détails qui lui avaient échappé. La sortie du premier film fut inscrite sur notre calendrier plusieurs mois à l'avance. Assis dans la salle de cinéma, entre les deux filles qui pigeaient à tour de rôle dans l'énorme sac de maïs soufflé que je tenais sur mes genoux, je ne me doutais pas que j'étais en train de vivre notre dernier vrai moment de bonheur à trois. Qu'est-ce que cela aurait changé que je le sache ? J'aurais peut-être tenté de m'accrocher, de saisir au vol l'insaisissable et je n'aurais réussi qu'à gâcher la magie du moment. Non, je ne me doutais de rien et c'était bien ainsi.

Le 15 mai, à la fin de l'après-midi

VIOLAINE et ma mère se détestaient, ce qui, en soi, n'était pas surprenant. Ma mère avait systématiquement pris en grippe chacune de mes blondes et ne se gênait pas pour le leur faire sentir. La seule qui avait trouvé grâce à ses yeux avait été Jacinthe, peut-être parce que celle-ci respectait rigoureusement le temps que je consacrais à ma mère chaque semaine. Je crois aussi que le fait que je n'aimais pas vraiment Jacinthe jouait en sa faveur. Les deux femmes pouvaient ainsi entretenir une relation presque cordiale, non compétitive, reconnaissant en l'autre des qualités qu'elles s'attribuaient à elles-mêmes: un souci du détail et des apparences, une force teintée de stoïcisme, une recherche esthétique et une certaine classe. Violaine était tout à l'opposé, spontanée, directe, émotive et peu raffinée. En principe, ma mère aurait dû n'en faire qu'une bouchée, mais Violaine disposait de l'arme ultime: j'étais fou d'elle. Il suffisait qu'elle émette la plus petite objection, et voilà que j'annulais mon brunch du dimanche ou que je déplaçais la soirée de l'épicerie. Si elle voulait vraiment faire damner ma mère, elle m'accompagnait alors que je remplissais mon devoir filial. J'assistais alors impuissant à la lutte à peine voilée entre les deux.

Ma mère : Vous avez regardé *Bouillon de culture* dimanche ?

Violaine (*Se tournant vers moi en souriant.*) : Non, dimanche, on s'est couchés de bonne heure.

Ma mère (*Imperturbable.*) : C'est dommage. Pivot avait des invités très intéressants. C'est toujours bon de s'ouvrir l'esprit, ne trouvez-vous pas ?

Violaine : Bah ! Moi, si je veux vraiment m'ouvrir l'esprit, j'aime mieux aller au bar au coin de la rue, parler avec du monde ben ordinaire, que d'écouter une gang de maudits Français péter plus haut qu'le trou.

Et ainsi de suite. Coup. Contrecoup. Esquive. Coup en bas de la ceinture. Contre-attaque sournoise. Tout ça entre deux sourires, mine de rien. Je me renfonçais la tête dans les épaules, sachant que de toute façon c'était moi qui allais finir par payer le prix de cet affrontement. Violaine allait passer les prochains jours à déblatérer contre ma mère et j'allais finir par dire quelque chose d'impardonnable comme : « Je sais qu'elle est désagréable mais avoue que t'as fait un peu exprès toi aussi. » Ça allait finir par être de ma faute et j'essuierais la tempête tant bien que mal. Ma mère, de son côté, se contenterait de peu de mots, d'une moue méprisante en parlant de « cette fille » ou d'un ton condescendant à mon endroit : « Pauvre p'tit gars. » Je préférais de loin la tempête. Si Violaine n'avait pas tant insisté pour que je rompe tout lien avec ma mère, j'aurais probablement fini par en arriver là moi-même. Malheureusement pour ma blonde, et sûrement pour moi aussi, ces scènes dramatiques où elle me sommait de choisir entre ma mère et elle me mettaient sur la défensive et je me repliais dans ma zone de confort, c'est-à-dire l'immobilisme. Contre vents et marées, je m'obstinais à respecter mes deux rendez-vous hebdomadaires, en tirant même un certain plaisir pervers. C'était mesquin, je l'avoue, et c'était surtout lâche, ce qui semble être un thème récurrent dans mon existence.

Curieusement, dotée peut-être du même esprit de contradiction que moi, ma mère se mit à s'intéresser aux deux filles, ces « pauvres petites ». Au début, je crois qu'elle le faisait juste pour faire enrager Violaine, mais à la longue, elle sembla vraiment s'attacher aux deux enfants, revivant sans doute la même complicité qu'elle avait entretenue avec mes deux sœurs au même âge, avant que sa possessivité maladive et erratique ne les étouffe et ne gâche tout. Mélissa la charmait par son aplomb et sa coquetterie, et Julie la ravissait par ses succès à l'école et sa vivacité d'esprit. Elle leur acheta des vêtements, des bijoux, des accessoires. Elle les emmena (en me recrutant comme chauffeur, évidemment) voir le ballet *Casse-Noisette* au Centre national des arts, prendre le thé au Château Laurier et pique-niquer dans le parc de Rideau Hall, autant d'expériences essentielles dans la vie de toute petite fille de bonne famille. Alors que la mère de Violaine, dépressive et déprimante, toujours entre deux séjours à l'hôpital, avait été très peu présente dans la vie de ses petites-filles et l'était encore moins depuis que j'étais là, ma mère nous dépanna à quelques reprises en acceptant de les garder. À ma grande surprise, et au grand dam de Violaine, elle n'en fit même pas tout un plat. Les filles revenaient enchantées de leurs visites chez elle, coiffées, parfumées et maquillées, ayant siroté une tisane dans des tasses de porcelaine fine, dégusté des petits-fours au glaçage pastel et choisi une ou deux friandises dans une bonbonnière en argent ciselé. Je découvrais un côté de ma mère que j'avais peu connu et – j'ai honte de l'admettre – j'enviais un peu les deux petites d'être l'objet de tant de gentillesse de sa part. Quand tout fut terminé, après la déchirure, je me suis ramassé un soir chez ma mère, sans trop savoir comment j'avais abouti là. Elle avait sorti un album dans lequel elle avait gardé quelques photos des filles, deux ou trois dessins, une carte de Noël de Julie, les talons des billets de *Casse-Noisette*. Nous avions eu de la peine ensemble, silencieusement, pendant quelques instants. Elle m'avait tapoté la main un peu sèchement, avait rangé l'album et le moment de grâce était déjà passé. Nous n'en avons jamais reparlé depuis.

Le 16 mai, cinq heures du matin

JE NE SAIS PAS si j'en ai assez dit. Il me semble que non. Mais je me méfie tout de même de moi. Je ne sais pas si le besoin d'en dire plus est authentique ou si ce n'est qu'une tactique d'évitement – une autre! – pour retarder l'arrivée au moment fatidique. Je me reprends à me demander à qui j'écris, ou pour qui. Pourtant, je sais bien que c'est une fausse piste, que ça ne change rien. J'écris parce que je ne peux pas faire autrement. Je n'ai pas la même fébrilité qu'au début, les mots ne déboulent plus sur la page comme ils le faisaient, mais je ne suis pas plus capable d'arrêter que je l'étais initialement. J'ai essayé à quelques reprises. J'ai éteint mon ordi, je suis allé prendre de longues marches sans dessein conscient, pour me retrouver tout à coup dans le quartier où j'avais habité avec Violaine, devant la bibliothèque où j'emmenais Julie le samedi matin ou devant l'école de ballet des deux filles. J'ai tenté d'allumer la télé et de me laisser distraire par un jeu questionnaire, le bulletin de nouvelles ou un vieux film, pour me rendre compte au bout d'un certain temps que je n'entendais rien, que je continuais plutôt à voir se dérouler devant moi la trame de mon propre film. Je réussis parfois à dormir, quelques heures à la fois, mais mon sommeil est agité et je finis par rêver que je suis devant mon ordi à écrire frénétiquement des mots dont je ne comprends pas le sens. Je me réveille en sursaut, soulagé d'échapper au cauchemar et déçu que la réalité ne soit pas beaucoup plus rose. Je n'ai donc pas le choix: il faut que je continue.

Ma vie avec Violaine progressait donc de façon un peu échevelée, de crise en crise, avec des moments de pur bonheur, de petites périodes de calme, accueillies avec étonnement et gratitude, puis la tension qui réapparaissait, les humeurs noires, les larmes, les reproches, la spirale qui nous aspirait vers le fond, pour ensuite nous recracher, étourdis et amochés. Plus Violaine allait mal, plus je m'impliquais dans la relation. Ou était-ce le contraire? Après la première grosse crise, elle m'avait présenté ses filles. Après la deuxième scène – sur fond de vodka cette fois-là – celle où elle avait saisi un couteau et menacé de se tailler les poignets, j'avais emménagé chez elle. Après la première nuit où elle découcha, entrant au petit matin avec les yeux bouffis, une haleine de lendemain de veille et un air de défi, j'avais entrepris de mettre de l'ordre dans ses finances, payant ses soldes de cartes de crédit et prenant le loyer en charge. J'étais déterminé à la rendre heureuse malgré elle. À force d'opposer à ses tempêtes un calme entêté, je m'imaginais qu'elle allait bien finir par se rendre compte qu'il était inutile de tant s'agiter, que le bonheur était à portée de la main, qu'elle n'avait qu'à me laisser l'aimer.

Mes efforts ne donnaient pas le résultat escompté. Même que les choses semblaient aller en empirant. Violaine buvait de plus en plus ou, en tout cas, de plus en plus ouvertement. Et moi je lui trouvais des excuses: elle n'a pas eu une vie facile, elle a toujours eu à se débrouiller seule, personne ne s'est occupé d'elle, elle n'a pas appris à être en couple, sa mère était toujours malade et son père était un lâche, comment aurait-elle pu apprendre à se prendre en main ? Je modifiais la réalité dans ma tête pour conserver mes illusions de bonheur : ce n'était qu'une mauvaise passe, c'était normal qu'il y ait une période d'ajustement après la lune de miel, tous les couples passent par là, je n'avais qu'à rester patient, cela irait mieux au printemps, durant les vacances, après la rentrée, durant les Fêtes, après les Fêtes, après l'hiver, au printemps…

Je passais plus de temps avec les filles, je les emmenais à la bibliothèque, à la piscine, au cinéma. Je leur avais acheté des patins et je les emmenais sur le canal Rideau tous les beaux samedis d'hiver. Elles progressèrent rapidement, chacune à sa façon. Mélissa s'élançait à toute vitesse sans retenue et sans contrôle, semblant toujours sur le point de perdre l'équilibre et prenant à l'occasion des fouilles spectaculaires. Elle se relevait aussi vite, pleurait un peu, de peur plus que de mal, et se déclarait prête à continuer. Julie y allait plus prudemment et plus systématiquement. Elle s'efforçait d'apprendre la bonne technique, voulant que je lui enseigne à freiner et à virer, et adoptant un rythme plus lent mais plus régulier. Au bout de quelques semaines, nous pouvions patiner toute la longueur du canal. Quand elles étaient un peu fatiguées, je les prenais par la main et je les tirais le plus vite possible pour ensuite les projeter vers l'avant et les laisser glisser. Ou encore, nous formions un petit train avec Mélissa devant, accroupie avec ses mains derrière elle sur les patins de Julie, et moi qui patinais derrière Julie avec les deux mains sur ses hanches pour pousser. Nous nous arrêtions toujours à mi-parcours pour déguster une « queue de castor » et un chocolat chaud. J'imagine que je n'étais peut-être pas aussi heureux que je pense l'avoir été lorsque je me rappelle ces images : la mémoire a une bien curieuse façon de modifier nos souvenirs sans nous en aviser, souvent pour en occulter des détails agaçants qui pourraient assombrir le tableau. Si c'est le cas, elle a bien fait son travail, parce que je ne peux repenser à ces après-midi sans ressentir une bouffée de bonheur pur. Pourquoi m'acharnerais-je aujourd'hui à ternir cette image ? À moins que je ne cherche à diminuer la douleur de ce que j'ai perdu…

Un jour, j'avais eu l'idée brillante d'acheter des patins pour Violaine aussi, elle qui n'en avait jamais chaussé, et j'avais réussi à la convaincre d'essayer au moins une fois. Je nous vois encore, tous les trois autour d'elle, à la soutenir, la rassurer, l'encourager. Je la tenais fermement par un bras, Julie lui tenait la main de l'autre côté et Mélissa, tout excitée, quelques pas devant nous, tendait les mains à sa mère comme on invite un enfant qui fait ses premiers pas. Violaine se tenait raide comme une barre, incapable de bouger, poussant des petits cris d'effroi dès que Julie et moi la faisions glisser un peu vers l'avant. « C'est beau, maman ! Tu avances ! » s'écriait Mélissa. « Bouge un peu les pieds, comme ça, gauche, droite, gauche droite », l'encourageait Julie. « Plie les genoux, détends-toi, j'te laisserai pas tomber », ajoutais-je. Elle protestait, du même air buté que Mélissa prenait quand elle ne voulait pas manger ses légumes : « Non, je suis pas capable, j'ai trop peur. Je vais tomber et me casser quelque chose, je le sens. » Il faisait froid, nous avions fini par geler à force de ne pas bouger, et nous avions pris le chemin du retour, tous un peu déçus. Mélissa était au bord des larmes parce qu'elle n'avait pas eu sa « queue de castor » habituelle. Julie avait d'abord tenté de l'apaiser en lui promettant un chocolat chaud à l'arrivée puis, devant l'échec de cette tactique, l'avait enjointe de ne pas faire son bébé, ce qui avait eu le résultat prévisible de faire crier sa sœur. Violaine, irritée et irritable, les menaça de je ne sais plus trop quoi si elles ne se taisaient pas toutes les deux, et devant mon retrait stratégique dans un silence prudent, me reprocha à moi de me taire encore une fois. Je sentais qu'elle était en train de se pomper, que la tension des dernières heures allait se déverser sur nous dans une litanie de plaintes et de reproches, et déjà, je n'écoutais plus. Elle le sentait bien d'ailleurs et exaspérée, s'acharna sur moi jusqu'à ce que ma façade d'indifférence craque et que je lui lance à mon tour une méchanceté quelconque que j'aurais ensuite à payer chèrement au cours des semaines voire des mois qui ont suivi.

J'avais commencé à élaborer des scénarios de fuite. Combien de fois ai-je fait ma valise mentalement, laissé sur la table de cuisine des chèques de loyer pour les six mois suivants avec une note dont je remaniais constamment le contenu et quitté sur la pointe des pieds pour ne pas réveiller les filles ? Je ne pouvais pas aller plus loin. Le plaisir que j'éprouvais à m'imaginer la stupéfaction de Violaine laissait tout de suite place au sentiment de culpabilité. Je ne pouvais m'imaginer quelle explication offrir aux enfants, qui justifierait de les abandonner ainsi à leur sort. J'étais vraiment pris au piège. Dans un de ses moments d'hostilité sur fond de lucidité, Violaine m'avait lancé : « Tu te penses tellement meilleur que moi. C'est vraiment bon pour ton ego de vivre avec quelqu'un de poqué comme moi. Tu peux te sentir supérieur, te faire croire que t'es vraiment bon d'endurer tout ça, que t'es une espèce de saint. Ben, fais-moi pas de faveur. Si t'es si malheureux que ça et que tu penses que tu serais mieux sans moi, t'as juste à t'en aller. J'me suis toujours débrouillée avant pis j'vas continuer à me débrouiller après. Alors fais-toi pas croire que tu restes pour moi ou pour nous autres. Si t'es icitte, c'est parce que ça fait ben ton affaire, pas pour d'autre raison. » Elle n'avait probablement pas tort. Je me plaisais bien dans mon rôle de sauveur, incompétent selon toute évidence, mais bien intentionné malgré tout. Et lorsque la situation était particulièrement difficile, lorsque je lavais la salle de bains où le vomi avait éclaboussé le plancher autour de la cuvette, lorsque je veillais une Violaine aux propos échevelés et désespérés, lorsque je m'inquiétais au lever du jour de constater qu'elle n'était pas rentrée encore une fois, je pouvais tirer du réconfort dans le sentiment évidemment illusoire que j'étais non seulement utile mais essentiel. Cela ressemblait étrangement à ce que je ressentais enfant, en faisant des sacrifices ou en récitant des prières pour accumuler ces fameuses indulgences qui étaient censées raccourcir le temps éventuel passé au purgatoire.

Au bout de deux ou trois ans, j'appris que Violaine me trompait. Je sais, je ne suis pas vite vite. Tous les indices étaient là et il suffisait de regarder pour voir. Je savais depuis longtemps que Violaine ne pouvait s'empêcher de flirter avec tous les hommes qu'elle rencontrait et j'avais constaté assez vite que ma présence ne freinait pas ses élans, loin de là. Les premières fois, son comportement m'avait ébranlé et je lui en avais fait le reproche. Elle avait ri et balayé mes insécurités d'un revers de la main aussi élégant que condescendant. Sentant bien que c'était peine perdue, je ne lui en avais plus reparlé. J'avais réussi à me faire croire que pourvu qu'elle me revienne toujours, je pouvais très bien m'accommoder du reste. Je ressentais tout de même un certain pincement au cœur lorsqu'elle sortait seule, ce qu'elle faisait de plus en plus souvent, surtout quand elle était dans une de ses humeurs imprévisibles qui me fascinaient et me terrifiaient à la fois. Elle pouvait tout aussi bien revenir au bout de quelques heures, le cœur léger et le sourire aux lèvres, rentrer en titubant au milieu de la nuit pour tomber pesamment sur le lit tout habillée, ou m'appeler la voix pleine de sanglots, en tenant des propos incohérents sans que j'arrive à découvrir où elle était ni ce qu'elle voulait. Je m'imaginais tout de même qu'elle me restait fidèle, que le lien qui nous unissait était assez fort pour résister à ces intempéries et que ce n'est que dans mes bras qu'elle venait se réfugier. Plus innocent que ça, tu meurs…

Finalement, c'est Violaine qui, n'en pouvant plus de ma confiance bêtement aveugle, me lança au visage ses nombreuses aventures d'un soir comme autant de reproches. J'étais sonné. J'avoue n'avoir pas vraiment été surpris puisqu'elle ne faisait que confirmer ce qu'une partie de mon cerveau avait déjà constaté tout en m'en épargnant la révélation. Non, plus que ses propos eux-mêmes, ce qui me bouleversa fut cette façon désinvolte qu'elle eut de me dévoiler tout ça sans la moindre délicatesse ni remords apparent. Je me demandais ce que j'avais fait pour qu'elle me déteste à ce point. Je n'avais pas encore compris que Violaine, comme ma mère, était profondément narcissique et que les autres ne pouvaient donc être que des marionnettes dans sa vie. Je me sentais trahi, blessé, diminué. Je lui en voulais de détruire ainsi mon amour pour elle et je m'en voulais de l'avoir tant aimée. Bien que j'aie vécu avec elle pendant plus d'un an et demi après ça, c'est ce jour-là que je l'ai vraiment quittée. Elle m'avait eu. Je ne pouvais que me retirer dans ma coquille dont je n'aurais jamais dû sortir. Extérieurement, rien n'avait changé: je continuais à payer les comptes, faire l'épicerie, surveiller les devoirs et échanger les informations nécessaires à la gestion du quotidien. Mais nous savions bien tous les deux que plus rien n'était comme avant. Alors que je réagissais par une distance de plus en plus marquée, Violaine semblait tout faire pour provoquer une réaction chez moi. Elle sortait de plus en plus, souvent sans avertir. Lorsqu'elle était à la maison, elle multipliait les remarques désobligeantes à mon endroit, allant même jusqu'à prendre les filles à témoin : « Vous voyez, il répond pas, il boude. Il dit qu'il aime pas ça quand je sors, mais quand j'suis là, il me parle même pas. J'pense qu'il nous trouve plates. C'est pour ça qu'il est tout l'temps devant son ordi. On est trop plates pour lui. » Elle pensait peut-être m'avoir à l'usure, mais elle ne savait pas qu'elle avait affaire à un champion de la guerre froide. Avec le recul, je vois bien qu'il était aussi prévisible qu'inévitable qu'elle se tourne vers un autre homme.

Elle ne se cachait même plus. Il s'appelait Richard, était propriétaire d'une cour à bois, marié (cela, je l'appris plus tard), conduisait une auto sport et faisait à Violaine des cadeaux extravagants. Ils se voyaient deux ou trois fois par semaine et, entre temps, se parlaient régulièrement au téléphone. Elle avait retrouvé le sourire, était un peu plus gentille avec moi et plus affectueuse avec les filles. L'accalmie ne dura malheureusement que quelques mois. Je la regardais faire à un autre la sorte de scène qu'elle m'avait maintes fois jouée et je ne savais plus ce que j'aurais dû ressentir. Aurais-je dû être jaloux du fait que c'était maintenant un autre qui avait le pouvoir de la rendre ainsi malheureuse ? Aurais-je dû au contraire me réjouir de constater que Richard échouait à la tâche tout aussi lamentablement que moi ? Aurais-je dû trouver une satisfaction à la voir s'enliser dans une situation sans issue, ou aurais-je dû chercher à la sauver encore une fois ? Je ne savais ni quoi ressentir, ni quoi penser. Je ne pouvais que continuer à poser les gestes routiniers qui me servaient de points de repère. Lever, douche, rasage, déjeuner avec les filles, boîtes à lunch, départ pour l'école ou le travail, routine du bureau, retour à la maison, devoirs, souper, vaisselle. Toutes ces choses que je pouvais faire sans vraiment être là, en pilote automatique. Un peu comme pendant mes années universitaires où je carburais à l'alcool et à la drogue, ou mes années accro aux tranquillisants. Curieusement, je n'avais peut-être jamais été aussi sobre. Je ne sortais plus dans les bars, je ne buvais plus avec Violaine, ne voulant pas lui signifier ainsi un accord implicite, et je me refusais à boire seul, sachant trop bien où cela risquait de m'emmener. Non, mon engourdissement affectif n'était le résultat d'aucun procédé artificiel. C'était plutôt le produit de longues années de pratique : j'étais passé en mode survie et plus la tempête sévissait autour de moi, moins je ressentais quoi que ce soit.

Le 17 mai, quatre heures du matin

VOILÀ, nous touchons au fil d'arrivée. J'ai multiplié les détours pour éviter de parler de ma relation avec Violaine et ensuite, je me suis complu dans les détails pour en repousser la fin. Maintenant que j'y suis, je ne sais pas trop comment procéder. Je m'en veux un peu de vous avoir entraîné jusque-là avec moi et en même temps, votre présence, bien qu'uniquement le fruit de mon imagination, m'est d'un certain réconfort alors que je m'apprête à revivre les semaines au cours desquelles ma vie a basculé. J'imagine que la seule chose à faire est de tout raconter, simplement, froidement, franchement.

C'était fin novembre 2001. Violaine était sortie avec Richard après souper. Nous n'avions pas eu de dispute mémorable avant son départ, mais nous avions échangé quelques remarques acerbes. Elle avait embrassé les filles en leur souhaitant que je sois de meilleure humeur avec elles, et elle était partie en me faisant un petit signe de la main qui aurait pu vouloir dire n'importe quoi. Je n'étais pas surpris qu'elle ne soit pas rentrée avant que je me couche, surtout qu'elle avait congé le lendemain. C'était un peu plus inhabituel qu'elle ne soit toujours pas de retour avant mon départ pour le travail, mais au point où en étaient les choses entre nous, ce n'était pas tout à fait inattendu. Je n'étais donc aucunement préparé à l'appel que je reçus au bureau en fin d'avant-midi. Mon cerveau semblait fonctionner au ralenti et peinait à mettre ensemble des bribes d'information disparates. J'accrochais sur des détails qui me semblaient incongrus et m'empêchaient d'absorber le reste. Pourquoi était-ce la mère de Violaine qui me téléphonait ? Comment avait-elle obtenu mon numéro au bureau ? Pourquoi Violaine serait-elle allée à Wakefield ? Mais non, elle ne pouvait pas avoir été au volant : elle détestait conduire, surtout quand il faisait mauvais. Et pourquoi est-ce qu'on m'appelait seulement maintenant si l'accident avait eu lieu tôt ce matin ? J'avais raccroché avec l'impression que j'étais dans un rêve et que tout tournait au ralenti. J'avais pris le temps de sauvegarder le texte sur lequel je travaillais depuis quelques heures ; j'étais allé voir mon patron pour l'aviser de mon départ et le mettre au courant des deux documents qui devaient être terminés pour le lendemain. Je ne lui avais pas dit où j'allais et il ne me l'avait pas demandé. J'avais vaguement l'impression qu'il aurait fallu que je bouge plus vite, que je coure, que je me précipite dans le taxi, que je communique au chauffeur un sentiment d'urgence. Mais je n'arrivais pas à secouer ma torpeur et je marchais lentement vers l'ascenseur, j'hésitais un instant devant les boutons de commande, incertain si je voulais monter ou descendre. Descendre, tu veux descendre, tu t'en vas à l'hôpital, il y a eu un accident, c'est grave, dépêche-toi. Mais je n'arrivais pas à me dépêcher. J'avais failli donner au chauffeur de taxi mon adresse plutôt que celle de l'hôpital. Je me sentais fatigué, tellement fatigué, j'aurais voulu aller me coucher, juste m'en aller, très loin, ne pas avoir à faire face. Je suis arrivé trop tard. Elle était morte depuis des heures. Il aurait fallu que je me dépêche.

Ce n'est que plus d'un an plus tard que j'appris les circonstances qui avaient mené à l'accident. C'est Richard qui avait voulu me rencontrer, pour se confesser m'avait-il semblé. Violaine et lui s'étaient promenés d'un bar à l'autre jusque tard dans la nuit. Violaine était dans une de ses humeurs fébriles et imprévisibles (« Tu sais comment elle pouvait être », et je hochais la tête, oui, oui, je comprenais). Elle n'était pas aussitôt arrivée à l'endroit où elle voulait aller qu'elle déclarait que c'était plate à mourir et qu'elle voulait aller ailleurs. Ils finissaient leur verre et repartaient, à la recherche d'un bonheur élusif. À la fermeture des bars, elle était encore agitée et aucunement prête à rentrer. Il avait eu l'inspiration malheureuse de l'emmener à son chalet près de Wakefield, à une vingtaine de minutes de Hull. Dans leur sagesse d'ivrognes, ils avaient convenu tous les deux qu'il était trop saoul pour conduire et que Violaine devait prendre le volant. Il pluviotait, un petit crachin glacé qui rendait la chaussée glissante. Violaine avait eu peur en voyant venir un gros camion en sens inverse et avait donné un coup de roue inutile et fatal pour l'éviter. L'accotement était inégal, la voiture avait dérapé et fait quelques tonneaux avant de s'immobiliser dans le champ. Violaine ne portait pas sa ceinture de sécurité, et Richard pensait qu'elle était probablement morte sur le coup, ce que le médecin de l'urgence m'avait d'ailleurs confirmé. De son côté, il avait subi quelques fractures et une commotion cérébrale mais s'en était somme toute assez bien tiré. À cause de l'heure tardive, les secours avaient tardé à venir. Dans les papiers que Violaine avait sur elle, il n'y avait rien qui m'identifiait comme son conjoint, et Richard n'avait pas été en état de fournir plus d'informations avant le lendemain. Depuis l'accident, il tentait de refaire sa vie, avait arrêté de boire et en était, j'imagine, à l'étape de faire « amende honorable ». Je ne lui en voulais pas. Comment l'aurais-je pu? J'étais aussi coupable que lui.

Ce jour-là, je n'avais pas voulu qu'on avertisse les filles à l'école. J'aurais voulu, je crois, les épargner le plus longtemps possible, les laisser terminer leur journée comme à l'accoutumée, les accueillir avec les gestes habituels et les préparer doucement. Je n'avais aucune idée précise de la façon de faire ça mais ça me semblait important d'essayer au moins. Peut-être voulais-je simplement m'accrocher à une réalité qui n'existait déjà plus, faire semblant qu'il était arrivé une tragédie, bien sûr, mais que ça n'avait pas tout changé dans nos vies, que ce n'était qu'un mauvais moment à passer et qu'on allait pouvoir le traverser ensemble. De toute façon, je suis arrivé trop tard pour ça aussi. La mère de Violaine, qui courait partout comme une poule sans tête, avait déjà dépêché Guillaume en mission et il était allé chercher les filles une après l'autre, Mélissa à l'école du quartier, Julie ensuite à la polyvalente. Ils étaient arrivés tous les trois à l'hôpital peu de temps après moi, Guillaume, blême, le visage défait, tenant par la main une Mélissa à l'air inquiet, et Julie fermant la marche, le regard fermé, les bras croisés. Mélissa avait couru vers moi, étonnée de me voir là : « Où est maman ? Est-ce qu'elle est correc' ? Est-ce qu'on peut la voir ? » J'avais croisé le regard de Guillaume qui avait levé les mains en un geste impuissant. Lui aussi avait voulu les épargner. Pendant que j'hésitais, cherchant des mots qui n'existent sûrement pas, la grand-mère s'était remise à pleurer et à gémir de plus belle, s'était avancée vers les deux filles et avait voulu les prendre dans ses bras. Mélissa s'était débattue et Julie avait reculé. Elles m'avaient regardé toutes les deux, les yeux remplis de peur et d'incompréhension, et je leur avais dit, finalement, ce qu'elles ne voulaient pas entendre. Je me sentais coupable de le leur dire, coupable que leur mère soit morte, coupable de leur infliger ça. Mélissa s'était jetée dans les bras de son père, le sommant de nier ce que je venais d'affirmer, et Julie s'était recroquevillée sur elle-même. J'aurais voulu la réconforter, lui mettre une main sur l'épaule, lui murmurer du n'importe quoi, mais j'étais incapable de bouger. Je me voyais comme dans un rêve m'avancer vers elle, passer mon bras autour de ses épaules frêles, l'attirer contre moi, et je répétais le geste, un pas, deux pas, la main qui s'avance, le bras qui l'encercle, la main qui exerce une légère pression contre son bras. Et toujours, je restais immobile, complètement figé. J'avais eu la pensée saugrenue que Violaine aurait été capable de les consoler, elle. Je n'avais pas su. Je n'avais pas bougé, pendant une éternité, regardant la vie me couler entre les doigts sans savoir la retenir. Il était trop tard.

J'avais passé les quelques jours suivants dans le brouillard. Plein de gens étaient arrivés, avaient pris des décisions, m'avaient consulté parfois, il me semble. Je me souviens vaguement du salon funéraire, de ma surprise d'y voir des personnes que je connaissais, quelques collègues, le patron, un voisin. Qu'est-ce qu'ils font tous ici, m'étais-je demandé, comme si c'était une bien curieuse coïncidence qu'ils passent par là tous au même moment. On me serrait la main, on m'embrassait, on me murmurait des paroles toutes faites que je n'entendais pas vraiment, mais qui m'enveloppaient tout de même de leur refrain familier et auxquelles je répondais automatiquement par les formules d'usage. C'était entre nous comme un mantra ou une prière maintes fois répétés, jusqu'à l'usure, jusqu'à ce qu'il ne reste plus de sens, juste une vibration sourde, indistincte. Mes sympathies, merci, merci d'être venus, merci d'être là, oui, c'est vraiment triste, mes sympathies, elle était si jeune, merci, merci d'être venus, oui, c'est triste, c'est dur, oui, la vie continue, il faut bien, toutes nos sympathies, merci, merci d'être là, oui, quel choc, les pauvres petites, merci, oui, ça va, il faut bien, merci,

merci, merci. Mes sœurs étaient venues, ma tante, ma mère, François et son chum, Marie-Claire. Jean-Pierre n'avait pas pu venir, mais m'avait envoyé un long courriel, touchant et drôle, dans lequel il me promettait une visite prochainement (promesse qu'il ne remplit que six mois plus tard, mais le connaissant, je ne lui en tins pas rigueur). Je n'avais jamais été si entouré. Je me souviens d'avoir pensé que c'était curieux.

Les parents de Guillaume avaient pris Mélissa avec eux pendant quelques jours. Ils avaient insisté pour emmener Julie aussi, mais elle n'avait pas voulu, et j'étais sorti du brouillard assez longtemps pour me prononcer en faveur de sa liberté de choix. Nous errions donc ensemble, comme deux âmes en peine, dans l'appartement immense et silencieux. Violaine était partout, et je me promenais d'une pièce à l'autre, ramassant un chandail, un briquet, une brosse à cheveux, hésitant entre le réflexe habituel de ranger, de mettre de l'ordre dans son désordre, et le désir de tout laisser exactement là où c'était, comme si elle allait rentrer d'une minute à l'autre et redonner vie à tous ces objets qui l'attendaient. Je sentais parfois le regard de Julie sur moi et il passait soudain entre nous un éclair de compréhension, comme une décharge électrique intense mais brève. Incapable de dormir, une nuit, je m'étais levé et je l'avais entendue pleurer dans son lit, avec des petits gémissements d'animal blessé. J'avais hésité devant sa porte, puis j'avais frappé doucement. Je n'entendais plus rien et je n'osais pas entrer. Finalement, j'avais dit : « Je ne peux pas dormir et je vais me faire chauffer une tasse de lait. Si tu en veux, tu peux venir me rejoindre. OK? » Elle avait répondu quelque chose d'indistinct et je m'étais dirigé vers la cuisine. Quelques minutes plus tard, elle était venue s'attabler avec moi. Nous avions bu notre lait en silence puis elle avait dit tout doucement, presque en chuchotant : « Ça ne sera plus jamais comme avant, hein ? » Nos regards s'étaient croisés, et je n'avais pas pu soutenir le sien. J'avais détourné la tête en sentant les larmes me mouiller les yeux et j'avais répondu : « Non, ça ne sera plus jamais comme avant. » Elle s'était remise à pleurer, plus doucement cette fois, et j'avais cédé à ma tristesse moi aussi. Nous avions pleuré ainsi, l'un en face de l'autre, assez longtemps il me semble. Puis je m'étais levé pour saisir quelques mouchoirs et lui en tendre un. Nous nous étions mouchés en même temps et nous avions fini par sourire, parce que Julie, qui ne faisait normalement pas plus de bruit qu'une souris, se mouchait toujours bruyamment et sans retenue. Mélissa nous avait déjà dit que nous faisions dans ces moments-là autant de bruit l'un que l'autre. « Viens que je te borde » lui avais-je proposé, et elle m'avait laissé la reconduire jusque dans son lit, replacer longuement et inutilement ses couvertures et lui déposer un baiser sur le front. Juste avant que je quitte la chambre, elle avait murmuré : « Je ne veux pas aller vivre chez ma tante Mado. » « Je sais », avais-je répondu, puis ne sachant que dire de plus, j'avais refermé la porte doucement. « Je sais », m'étais-je répété à moi-même. Je sais, je sais, mais quel choix avons-nous ? Quel choix nous a-t-elle laissé ? Et pendant un long moment, j'avais été envahi par une colère brûlante envers Violaine. « Tu vois le dégât que tu as laissé derrière toi. Et tu t'attends à ce qu'encore une fois, je ramasse ton dégât. Mais je ne peux pas. Je ne peux plus. Il n'y a plus rien que je puisse faire. Et c'est de ta faute. As-tu seulement pensé une minute à quelqu'un d'autre que toi quand t'es partie ce soir-là ? Pourquoi t'as fait ça ? Pourquoi ? L'as-tu fait exprès ? Voulais-tu juste te sauver une fois pour toutes ? Eh bien, j'espère que t'es contente parce que t'as réussi. Tu t'en es bien sauvée. Et tant pis pour ceux qui restent. » J'étouffais tout à coup de rage et d'impuissance. J'aurais voulu crier, ou tout casser dans l'appartement, détruire tout ce qui lui avait appartenu. Mais je ne voulais pas faire de bruit: je ne pouvais que rester debout, immobile, les poings serrés, le souffle court, le cœur battant à toute vitesse. Je ne pouvais qu'attendre que la tempête passe.

Quelques jours après les funérailles, Mélissa était revenue de chez ses grands-parents. Les adultes avaient convenu qu'il serait mieux de laisser les deux filles retourner chacune à son école jusqu'aux vacances de Noël et prévoir le déménagement durant le congé. Mado et John étaient rentrés chez eux, à Belleville – qui n'avait de français que le nom – pour se préparer à accueillir leurs nièces quelques semaines plus tard. On ne m'avait pas demandé ce que j'en pensais, et à vrai dire, je ne pensais plus rien. Je me souviens mal de ces semaines-là: je garde une impression générale de flou duquel se détachent parfois quelques images très nettes. J'étais retourné au travail et je fonctionnais un peu au ralenti, mais je fonctionnais quand même. À la maison, je m'occupais à faire les repas, la vaisselle, le lavage, et j'avais commencé à faire le ménage dans les choses de Violaine. Julie était plus silencieuse que jamais, le nez toujours plongé dans un livre, et Mélissa ne me lâchait pas d'une semelle, n'arrêtant pas de poser des questions auxquelles je ne savais plus quoi répondre. « Pourquoi maman est morte? Pourquoi elle sortait avec Richard? Est-ce qu'elle peut me voir? Grand-maman m'a dit que je pouvais encore lui parler à maman, mais je sais pas si elle m'entend. Pourquoi elle me répond pas? Pourquoi on peut pas rester ici avec toi? Pourquoi il faut aller chez ma tante Mado? » Moi qui avais été plus souvent qu'autrement porté à dire la vérité tout simplement, sans détour, pas autant par prise de position morale que par incapacité de faire autrement, voilà que je ne savais plus.

La petite fille s'impatientait devant mes hésitations, mon silence, mes bifurcations, mes aveux d'ignorance et d'impuissance. Elle pensait que j'essayais de lui cacher des choses et elle avait sans doute raison. Je ne pouvais quand même pas lui répondre : « Ta mère est morte parce qu'elle était saoule et qu'elle a conduit quand même : elle a fait une sottise et elle a payé le prix de sa sottise. Elle sortait avec Richard parce qu'elle n'était pas heureuse avec moi et qu'elle ne m'aimait plus : je crois qu'elle n'a jamais vraiment été heureuse. Non, elle ne peut pas te voir, elle est morte. Elle ne peut pas t'entendre non plus, c'est pour ça qu'elle ne te répond pas : tu peux toujours continuer à lui parler si tu veux mais elle ne te répondra jamais. Vous ne pouvez pas rester avec moi parce que je ne suis pas votre père, j'étais juste le chum de votre mère : légalement, je ne compte pas et d'ailleurs, je ne suis pas équipé pour être parent. » Non, tout ça je me le disais intérieurement pendant que je bafouillais quelque explication ambiguë. Ses questions et son insistance finissaient par m'agacer et je cherchais des façons de la faire taire.

Je me rappelais trop bien le processus qui avait mené Violaine à prendre des arrangements avec sa sœur et je doutais maintenant du bien-fondé de la décision qui m'avait semblé logique à l'époque. Cela faisait alors deux ou trois ans que je connaissais Violaine et j'avais assumé à peu près toute la gestion de ses finances. Lorsque je lui avais un jour posé la question au sujet des dispositions prévues en cas de décès, elle m'avait regardé comme si j'étais un extraterrestre. Comprenant qu'une telle idée ne lui avait jamais même effleuré l'esprit, je l'avais sermonnée sur son attitude irresponsable. J'avais continué à la talonner au cours des semaines suivantes jusqu'à ce que, exaspérée, elle accepte de prendre une assurance-vie et de rencontrer un notaire pour rédiger son testament. Nous avions passé plusieurs soirées à discuter du meilleur scénario envisageable pour les filles, passant en revue les membres de sa famille, les familles de ses ex, quelques couples d'amis. Nous revenions toujours à Mado et John : nous énumérions tous les arguments en faveur de ce choix – ils étaient nombreux – en hochant la tête, l'air peu convaincu, puis nous reprenions notre tour d'horizon, espérant trouver mieux, être frappés soudain d'une illumination nouvelle, se rendre compte que les candidats idéals étaient là sous notre nez tout ce temps-là et que nous ne les avions pas vus. Violaine s'impatientait, protestait que l'exercice était inutile de toute façon, qu'elle n'allait sûrement pas mourir bientôt. Elle m'avait lancé un moment donné : « Elles n'auraient qu'à rester avec toi : vous vous entendez bien tous les trois. » J'avais tout de suite rejeté cette possibilité : « Tu n'es pas sérieuse. Tu t'imagines un peu la réaction de Guillaume et de Marc à l'idée de voir un pur étranger, un homme, élever leur petite fille ou, encore pire, leur adolescente ? D'ailleurs, je m'entends avec elles uniquement parce que tu es là. Seul, je serais un très mauvais parent. » Elle n'avait pas insisté et nous étions retournés à notre évaluation fastidieuse. De temps en temps, un de nous militait en faveur de telle ou telle personne et l'autre trouvait immédiatement une faille insurmontable. Il ne resta finalement qu'une seule option. Violaine n'était pas proche de sa sœur Madeleine, mais au moins, elle avait conservé un lien poli avec elle. Mado, l'aînée de la famille, était « celle qui a réussi » à force d'acharnement et de détermination. John avait rencontré Mado alors qu'il étudiait à l'université Carleton. Ils s'étaient mariés à Ottawa, où ils avaient vécu deux ans avant d'aller s'établir à Belleville d'où John était originaire et où il gérait maintenant un magasin à rayons. Ils avaient eu deux enfants, un gars et une fille, et après l'entrée de ceux-ci au secondaire, Mado avait troqué son titre de reine du foyer pour celui d'agent immobilier. Elle était petite, vive, décidée et autoritaire. Il était doux, conciliant et fidèle, se laissant mener par le bout du nez sans rouspéter. Violaine jugeait que sa sœur était froide, snob et intolérante, mais elle concédait que c'était une mère dévouée et attentive. Elle connaissait peu son beau-frère, le côtoyant une ou deux fois par année lors des rencontres de famille : ils se parlaient peu parce que ses connaissances du français étaient plus que rudimentaires et qu'elle se refusait à lui adresser la parole en anglais. Il lui semblait toutefois très gentil et elle avait remarqué qu'il était aux petits soins pour Mado. Ils avaient une belle maison avec piscine, deux voitures, un chien et quatre chambres à coucher. Bref, les filles ne manqueraient de rien et seraient bien entourées. Violaine avait parlé à sa sœur, qui avait accueilli sa demande posément et avait accepté sans trop d'hésitation. L'assurance-vie avait désigné Mado comme bénéficiaire et le testament avait été rédigé en bonne et due forme. Nous n'en avions plus reparlé, convaincus tous les deux que c'était au fond une démarche inutile bien que nécessaire. Et voilà que je me trouvais dans la position d'essayer de justifier cette décision qui me déchirait. Mes explications offertes du bout des lèvres ne convainquaient personne, moi le premier. Il aurait mieux valu se taire. Ce que je fis.

Les jours s'égrenèrent donc, croulant sous le poids des non-dits. Trois personnes, trois malheurs parallèles. Julie lisait, Mélissa regardait la télé et je faisais des boîtes. Je fus presque soulagé de voir Mado débarquer et prendre les choses en main. Elle était sûrement la sorte de personne qui arrache un pansement d'un coup sec, sans avertissement, plutôt que de tenter de le soulever millimètre par millimètre, prolongeant ainsi la douleur qu'on tente d'éviter. En deux temps, trois mouvements, les chambres des filles furent vidées de tous leurs effets personnels, une tournée des grands-parents, pères et autres proches fut organisée, et tous les détails administratifs furent réglés. Il ne me restait qu'à les regarder partir, regrettant une fois de plus de ne pas savoir quoi dire. C'est Mado qui avait parlé pour moi, assurant les filles que je viendrais les visiter bientôt, et ce fut tout. Je regardai la fourgonnette louée pour l'occasion disparaître au coin de la rue, emportant avec elle les dernières bribes de bonheur auxquelles je pouvais me raccrocher. Je me sentais comme un enfant qui a laissé échapper le ballon rouge, gonflé à l'hélium, qu'il tenait précieusement un instant auparavant. Je le regardais s'élever, de plus en plus haut, s'éloignant sans cesse et je me demandais comment cela avait pu arriver. Je regardais mes mains qui m'avaient trahi, qui n'avaient pas su tenir assez solidement. Je scrutais le ciel à nouveau et je ne le voyais plus. J'étais rentré dans l'appartement à moitié vide et pour la première fois depuis ma rencontre avec Violaine, j'avais voulu mourir.

Le 18 mai, tôt le matin

POURTANT, cinq ans plus tard, je suis encore là. Vous vous demandez peut-être pourquoi et je vous avoue m'être souvent posé la question au cours de ces années. Il m'apparaissait évident que j'allais finir par poser ce geste auquel toute ma vie n'avait été qu'un long préambule. Pourquoi donc tergiverser ? Je crois qu'initialement, j'étais tout simplement trop sonné pour réagir. Sans trop m'en rendre compte et surtout sans décision consciente, je m'étais peu à peu glissé dans un semblant de vie comme elle était « avant ». J'avais quitté le logement de Violaine pour reprendre un appartement près du centre-ville d'Ottawa. Je m'étais remis à passer trop de temps au travail, ce qui, puisque je fonctionnais au ralenti, avait l'avantage de me permettre de maintenir un rendement acceptable. J'accomplissais mon devoir filial fidèlement, deux fois par semaine, et je ne réagissais même plus au nombrilisme et à la mesquinerie de ma mère. L'angoisse avait recommencé à me tenailler les tripes et, refusant de l'engourdir par l'alcool, je me laissais submerger par ses vagues déferlantes, impuissant et résigné à la fois. Je me sentais défait, brisé : je n'avais tout simplement pas l'énergie de me tuer. Marie-Claire m'avait traîné chez le médecin qui m'avait prescrit quelque pilule miraculeuse : je ne m'étais pas opposé, mais je n'avais pas donné suite. Il y avait belle lurette que je ne croyais plus aux miracles. J'avais fait l'effort héroïque de faire semblant d'aller un peu mieux lors de mes conversations suivantes avec Marie-Claire, pour qu'elle me laisse un peu tranquille.

Je pense aussi que je ne voulais pas associer mon suicide à une banale peine d'amour. C'est fou, je le sais, mais je n'aurais pas voulu qu'on interprète mon geste comme celui de l'amant éploré qui meurt parce qu'il a perdu celle qu'il aimait plus que la vie! J'étais peut-être trop en colère encore contre Violaine pour accepter qu'on imagine qu'elle avait eu tant d'importance pour moi. D'ailleurs, j'avais toujours pensé que ma mort, lorsqu'elle allait venir, serait un geste de raison plus qu'un geste de passion. Pour en arriver là, j'avais besoin d'un peu de temps. Je ne croyais pas que cela en prendrait tant…

Au fond, je crois que je voulais avant tout épargner les deux filles. Leur vie avait été suffisamment chamboulée comme ça, je ne voulais pas ajouter à leur fardeau. Moi qui jugeais sévèrement l'égoïsme de leur mère qui n'avait pas su les mettre à l'abri de ses démons, je me refusais à poser un tel geste sans tenir compte de l'impact sur elles. Je suppose que je me sentais déjà assez coupable de toute la situation, y compris de la façon dont je me suis comporté avec elles après la mort de Violaine, que j'ai voulu me donner un minimum de bonne conscience. J'ai probablement continué à m'accrocher à cette raison admirable de rester en vie aussi longtemps que j'ai gardé un semblant de relation avec Julie. Mais depuis un an, ce dernier fil s'est rompu, usé par la distance, le temps, les circonstances ou une simple négligence de ma part. En ne faisant aucun effort pour rétablir le lien, je préparais sans doute déjà ma sortie.

Cela m'avait pris un bon trois mois après leur déménagement à me décider à aller leur rendre visite. J'étais encore en piteux état, mais les appels de Mado se faisaient plus insistants et je ne savais plus quelle excuse inventer. J'avais donc loué une auto pour la fin de semaine et pris la route de Belleville, le vendredi après le travail. Le paysage de fin d'hiver, gris, morne et sale, correspondait parfaitement à mon état d'âme. La circulation était dense, la nuit tombait, et la visibilité était réduite par les éclaboussures de neige fondante qui giclaient sur le pare-brise, y laissant des traînées brunâtres. Je n'ai jamais aimé conduire et j'étais particulièrement crispé ce soir-là. Une crise d'angoisse en règle semblait me guetter, juste aux abords de ma conscience, attendant que je relâche ma vigilance un instant pour m'envahir complètement. J'avais eu du mal à trouver l'adresse et j'étais arrivé crevé, vidé, avec une curieuse envie de pleurer.

Les deux chiens m'avaient accueilli en me sautant dans les jambes et en aboyant à qui mieux mieux. Je ne savais pas plus comment réagir aux débordements d'enthousiasme de ces animaux qu'aux élans d'affection venant des humains. Je restais sur place, empêtré dans mes bagages, mon manteau et ma gêne, attendant qu'on me sorte de là. Mélissa s'était emparée de son chiot, John avait calmé l'autre d'un « *Stop it!* » bien senti, Mado m'avait libéré de mes sacs et de mon pardessus et m'avait entraîné vers la cuisine où un repas léger m'attendait. Elle distribuait les ordres à droite et à gauche, demandant qu'on coupe le pain, qu'on me serve une bière (tu prendras bien une bière?), qu'on déballe les fromages, les pâtés, qu'on sorte les olives, la salade, les cornichons. Je n'avais pas encore dit un mot, me contentant de m'asseoir dans la chaise qu'on m'avait indiquée, comme le boxeur étourdi qui s'écrase sur le tabouret dans un coin du ring après une ronde particulièrement éprouvante. J'étais reconnaissant de l'agitation régnant dans la pièce, ce qui évitait que l'attention ne se tourne trop vers moi pendant que je tentais de me ressaisir. J'avais bu ma bière un peu trop vite et elle m'était montée à la tête. J'essayais de me concentrer sur ce qui se passait autour de moi, de suivre les bribes de conversation, de hocher la tête au bon moment, mais j'y arrivais difficilement. Mado avait vite eu pitié de moi, décrétant que tout le monde était fatigué et demandant aux deux filles d'aller me montrer où j'allais dormir. Mélissa avait pris les devants, m'expliquant qu'on m'avait réservé la chambre de son cousin qui étudiait à l'université de Toronto et qui ne revenait à la maison qu'une fin de semaine par mois. Elle me montra en passant la chambre qu'elle partageait avec Julie et je reconnus dans son babillage incessant les signes de nervosité qui s'étaient manifestés lors de ma première rencontre avec elle et que j'avais appris à déceler par la suite. Julie fermait la marche en transportant ma valise et semblait éviter systématiquement de croiser mon regard. Je leur avais souhaité une bonne nuit et Mélissa s'était avancée pour m'embrasser. J'avais ensuite fait un pas hésitant vers sa sœur, mais trop tard, elle avait déjà tourné les talons.

N'ayant à peu près pas dormi, je m'étais levé à l'aube et j'avais trouvé Mado dans la cuisine, qui s'affairait déjà à préparer le café. Elle m'avait raconté que Mélissa semblait s'adapter assez bien à sa nouvelle vie, que le petit chien avait facilité beaucoup son intégration, qu'elle s'était fait une bonne amie dans sa classe et que bien qu'elle ne vît pas son père et ses grands-parents aussi souvent, ceux-ci l'appelaient régulièrement et lui envoyaient parfois des lettres et des colis. Avec Julie, c'était toutefois plus difficile. Elle parlait peu et on ne pouvait pas savoir ce qu'elle pensait. En trois mois, elle n'avait reçu qu'un appel de son père et avait semblé encore plus triste après. Mado espérait que ma visite aiderait, que je pourrais peut-être la faire parler, découvrir ce qui lui ferait plaisir. J'étais surpris de voir cette femme qui paraissait toujours au-dessus de ses affaires m'avouer son désarroi. J'avais été encore plus étonné lorsqu'elle m'avait lancé, à brûle-pourpoint : « Est-ce qu'elle parlait de moi des fois ? »

– Qui ça ?

– Violaine. Est-ce qu'elle parlait de moi ?

– Je sais pas, j'imagine, il me semble, des fois oui.

Elle avait ri, d'un petit rire triste et sec.

– C'est correct, tu peux me l'dire. Elle parlait pas d'moi, elle pensait pas à moi non plus. Elle m'a toujours trouvée pas mal plate. C'est drôle, parce que moi, je pensais souvent à elle. Y'a même des fois où j'aurais voulu être comme elle. Sa vie avait tout l'temps l'air plus excitante que la mienne. Pis maintenant, je r'garde ses p'tites pis ça m'fait tellement d'peine. J'espère qu'elles vont réussir à être plus heureuses que leur mère, mais j'ai peur. Mélissa lui ressemble tellement, tu trouves pas ? Pis Julie, j'sais pas quoi faire avec Julie. J'essaie d'lui parler pis j'finis toujours par parler toute seule. Un peu comme maintenant, hein ?

On avait souri tous les deux et elle avait dirigé la conversation vers des sujets plus anodins. La journée avait passé, tant bien que mal. J'étais allé prendre une longue marche avec les filles et les deux chiens. J'avais tenté de les questionner un peu, de faire parler Julie. Je savais bien que c'était peine perdue. Ce n'était pas à moi qu'elle aurait voulu parler : c'était à sa mère. Et Violaine était là entre nous comme une présence presque tangible, une paroi de verre épais, à travers laquelle on pouvait se voir mais à peine s'entendre. Je n'avais pas su percer la paroi. Au souper ce soir-là, j'avais été aussi silencieux que Julie. J'avais été fort étonné d'entendre Mélissa converser en anglais avec sa cousine et avec John. Ce ne fut certes pas la seule fois de ma vie que je fus pris par surprise par quelque chose qui était tout à fait prévisible (c'est mon petit côté innocent) ; mais cela m'avait donné un coup quand même, comme un signe additionnel du fossé qui se creusait de plus en plus entre nous.

J'avais repris la route le dimanche matin, penaud et malheureux. On avait échangé des adresses courriel et des promesses creuses. J'aurais voulu prendre les deux filles dans mes bras, mais j'étais encore une fois empêtré dans mes affaires et je m'étais simplement avancé pour leur déposer un baiser maladroit sur la joue. Je ne sais pas ce que j'avais espéré de cette visite, mais je savais que j'avais échoué lamentablement. Je n'y suis jamais retourné. Les appels de Mado se sont espacés, les échanges de nouvelles par lettre ou par courriel aussi, jusqu'à ce qu'il ne reste que la courtoisie annuelle des cartes d'anniversaire et du temps des Fêtes : celle de Mado et John comprenait la traditionnelle photo de famille près du foyer orné des bas de Noël, et je passais toujours de longues minutes à tenter de lire l'expression généralement indéchiffrable sur le visage de Julie que, d'année en année, je ne reconnaissais presque plus.

Le seul lien véritable que je continuais à entretenir avec elle était de lui envoyer un colis, assidûment, à chaque mois : j'y mettais quelques mots croisés, des coupures de journaux sur des sujets que j'imaginais pouvoir l'intéresser, de temps en temps un CD, et toujours, un livre ou deux. Je les choisissais soigneusement et je les lisais avant de les expédier, ce qui me permettait d'y joindre quelques commentaires ou questions. Ses réponses n'étaient pas aussi assidues que mes envois, mais juste assez fréquentes pour m'encourager à continuer. Aussitôt que j'avais posté un colis, je commençais à planifier le prochain. Au départ, je choisissais surtout des romans d'aventures et de fantastique, sachant qu'elle les appréciait particulièrement, comme la trilogie du *Seigneur des Anneaux*, les quatre tomes de *À la Croisée des Mondes* et, plus tard, la série des *Chevaliers d'Émeraude* ou celle des *Amos Daragon.* Je me mis ensuite à varier davantage, choisissant autant des classiques de la littérature jeunesse que des œuvres d'auteurs contemporains, tentant d'imaginer l'évolution de ses goûts et ajustant mon tir selon ses réactions. J'avais développé un lien complice avec une jeune employée de la Librairie du Soleil, qui m'accueillait chaque mois avec une liste de suggestions. Je me rendais compte, lors de nos conversations, que j'avais beau savoir que Julie avait maintenant quatorze ans, puis quinze, puis seize, je gardais d'elle un souvenir qui la figeait à treize ans, jeune fille en devenir, dont la culture et la pensée critique n'en étaient qu'à leurs premiers balbutiements. C'est elle qui m'avait finalement ramené à l'ordre après une sélection franchement trop juvénile : elle m'avait répondu que Mélissa avait bien apprécié le livre et avait poursuivi en me demandant si j'avais lu le roman controversé de Dan Brown, *The Da Vinci Code*, et ce que j'en pensais. Je venais effectivement d'en terminer la lecture et nous avions échangé quelques courriels amusants pleins de messages codés et d'anagrammes. Je crois que ces contacts épistolaires me permettaient d'entretenir l'illusion d'une relation qui n'existait pas vraiment. Avec le recul, je vois bien que nous ne parlions jamais de quoi que ce soit d'un tant soit peu personnel. Je ne savais rien de ce qu'elle vivait, de ce qui se passait dans son quotidien, de son cheminement intérieur. Je ne lui demandais même pas comment elle allait : je terminais plutôt mes lettres ou mes courriels par une formule toute faite (genre « J'espère que toute la famille se porte bien », ou « Je vous souhaite à Mélissa et toi un très beau printemps ! », ou encore « Profite de tes vacances bien méritées »).

Je n'aurais donc pas dû être surpris lorsque le lien s'est rompu, il y a un peu plus d'un an. C'est Mado qui m'avait appelé après avoir reçu mon dernier colis, pour m'informer que Julie avait quitté la maison un mois auparavant. Elle s'était fait un chum un peu plus vieux qu'elle et vivait avec lui dans un appartement aménagé dans le sous-sol chez les parents du gars en question. Elle n'était pas partie en claquant la porte, mais c'était tout comme : ce n'est que par Mélissa qui clavardait parfois avec elle que Mado avait quelques nouvelles. J'avais noté ses coordonnées sur un bout de papier, tout en sachant bien que je n'allais pas l'appeler chez les parents de son chum. Pendant plusieurs mois, j'avais gardé l'espoir qu'elle communique avec moi d'une façon ou d'une autre, qu'elle me donne de ses nouvelles, me fasse signe. Mais rien. Je sais que j'ai eu tort de me sentir ainsi abandonné. Je sais que j'aurais pu, que j'aurais dû faire plus si j'avais vraiment voulu garder un lien. Encore une fois, je n'ai pas su être à la hauteur. Je ne suis évidemment pas très doué pour les relations.

Voilà, c'est tout. Mon histoire s'arrête là. Depuis un an, il n'y a vraiment plus rien qui me rattache à la vie et je prépare ma sortie. Je n'ai plus reparlé à Mado et elle ne m'a pas relancé non plus. J'ai envoyé une carte d'anniversaire à Mélissa pour ses quatorze ans, avec des vœux bien sentis que Hallmark imprime en milliers d'exemplaires pour les pauvres types comme moi qui ne savent pas parler de ces choses-là. J'y avais joint un chèque, bien impersonnel lui aussi, et elle ne m'avait pas répondu. Je ne lui en ai pas voulu : qu'est-ce qu'elle aurait bien pu dire ? Sans que cela paraisse trop, j'ai pris mes distances avec François, toujours amoureux fou de son chum, et avec Marie-Claire qui, s'étant lancée dans une campagne de financement pour venir en aide aux victimes du tsunami en Indonésie, n'a plus besoin de moi pour assouvir son âme de missionnaire. Je vois toujours ma mère deux fois par semaine, tout en ayant l'impression de ne déjà plus être là : je l'écoute pérorer et lancer ses remarques acerbes comme si j'étais devant une émission de télé dont on aurait baissé le son au point de le rendre presque inaudible. Je ne la déteste même plus. Je dois au moins à la pharmacie bien garnie de ma mère, ainsi qu'à celle de ma tante, l'accumulation impressionnante de somnifères et de tranquillisants, subtilisés en petites quantités au cours des ans, qui devraient me permettre de m'endormir pour de bon.

J'ai quitté mon emploi il y a un mois, encaissant une indemnité de départ généreuse, et disant à mes collègues que j'allais prendre du temps pour moi, voyager, puis éventuellement reprendre du travail à la pige. Plusieurs avaient semblé m'envier. Des gens avec qui j'avais échangé à peine quelques phrases au cours des vingt dernières années étaient venus me serrer la main, me souhaiter bon voyage, me confier qu'ils admiraient mon audace, mon sens de l'aventure. Je ne savais que répondre, je restais planté là, l'air probablement un peu éberlué (Est-ce possible d'avoir l'air juste un peu éberlué ? Probablement pas.), et les conversations n'allaient pas plus loin. J'avais quitté le bureau avec un plan bien arrêté et je m'étonne d'être encore en vie. Je n'avais pas prévu passer tant de temps à écrire ce carnet. On dirait que j'ai perdu mon objectif de vue en cours de route et que je me suis égaré dans des détours imprévus. Je vous avoue que ce qui me semblait si évident au départ est pas mal plus embrouillé maintenant. Il me faudra retrouver ma concentration afin de pouvoir effectuer mes derniers préparatifs. Je me sens un peu comme si je m'étais « peinturé dans un coin », pour reprendre une expression bien de chez nous, et je ne vois pas d'autre issue que la mort, mais on dirait que le cœur n'y est plus. C'est parfait, me direz-vous, ma décision pourra ainsi être parfaitement rationnelle, telle que je la voulais. Mais vous avouerez quand même que c'est un geste qui est assez difficile à poser à froid, sans être emporté par un minimum de passion, qu'elle soit désespoir, colère ou fanatisme. Parler de mourir est une chose : s'enlever la vie, c'est une autre paire de manches. Je pensais que je m'y préparais tout au long de cette narration, que j'évacuais les derniers regrets, que j'éliminais les obstacles, que je me vidais de toute rancœur, que je coupais les quelques liens qui me rattachaient encore à quelque chose ou à quelqu'un. J'imaginais ainsi que je partirais ensuite le cœur léger, libre de toute entrave. Je me ménageais une sortie tout en douceur, sans brusquerie, sans souffrance. Les hommes, c'est bien connu, se suicident la plupart du temps de façon violente : une balle dans la tête, une pendaison, un accident spectaculaire et sanglant. Leur détresse est hurlée en un ultime cri de rage et reste ainsi marquée au fer rouge dans la mémoire de ceux qui leur survivent. Ce n'est pas comme cela que j'envisageais ma mort : je voulais disparaître sans laisser de trace, m'éteindre sans un son, ne laissant de cet événement aucun souvenir particulier. Je pensais donc arriver au point où il irait de soi que j'enfile le pyjama bleu, que j'avale quelques poignées de pilules et que je m'endorme sans angoisse pour ne plus jamais me réveiller. D'où viennent donc ces hésitations ? Pourquoi est-ce que je trouve constamment un autre détail à régler, une dernière chose à vérifier, une raison de plus pour remettre à demain ? Comment se fait-il qu'en arrivant au bout de ma démarche, je n'aie, curieusement, peut-être jamais eu si peu envie de mourir ?

Je crois que j'ai besoin d'aller prendre l'air, de manger une bouchée, de dormir une bonne nuit et d'aborder tout ça demain matin à tête reposée.

Le 25 mai, huit heures et demie du matin (une semaine plus tard)

J'EN ÉTAIS À PEU PRÈS LÀ dans mes réflexions lorsque tout s'est bousculé. Jean-Pierre a débarqué chez moi, sans prévenir, comme cela lui arrivait de temps en temps. Il est arrivé les bras chargés de provisions, s'est dirigé aussitôt vers la cuisine pour y empiler ses sacs, puis m'a serré contre lui dans une de ses accolades chaleureuses et prolongées qui coupent un peu le souffle. Il a jeté un regard autour de lui, remarqué l'état des lieux et m'a lancé quelques questions en fusillade rapide : « Qu'est-ce que tu fais ? Tu déménages ? Tu aurais pu m'avertir. Tu t'en vas où ? T'as rencontré quelqu'un, mon petit cachottier ? » Puis il s'est arrêté net, m'a regardé attentivement, cherchant à lire mon expression alors que j'évitais de croiser ses yeux et que je tentais de m'inventer une contenance. Il s'est mis à se promener d'une pièce à l'autre, fouillant un peu partout, et au bout de quelques minutes, il est sorti de la salle de bains en brandissant les bouteilles de pilules assorties qui trônaient là, bien en vue, en attendant que je me décide à les avaler. Je n'ai pas su quoi dire et il s'est mis à m'engueuler comme du poisson pourri. Je m'inquiétais un peu que ses cris dérangent les voisins, mais à part cette préoccupation, assez légitime il me semble, je me sentais plutôt léger. Je le regardais se crinquer, le visage cramoisi, les bras et les jambes s'agitant dans toutes les directions, les doigts crispés sur les bouteilles de médicaments, les mots se bousculant en sortant de sa bouche dans un désordre coloré et fascinant. J'aurais voulu l'interrompre, le rassurer, lui dire qu'il était inutile de se donner tout ce mal, que j'avais changé d'idée de toute façon. Mais une fois parti, il était impossible à freiner, je le savais trop bien. Je ne pouvais qu'attendre que sa colère s'épuise d'elle-même, comme une flamme à court d'oxygène. Il a fini par vider les contenants de pilules dans la toilette et tirer la chasse d'eau d'un geste inutilement dramatique. Il est ensuite allé s'affairer dans la cuisine, vidant ses sacs de provisions, sortant des ustensiles, des casseroles, des verres et des assiettes. Il a débouché une bouteille d'un bon rouge ontarien en me montrant l'étiquette (Tu te souviens ? C'est toi qui m'avais convaincu qu'on fait quelques très bons vins par ici.) et nous en a servi chacun un verre.

Pendant qu'il cuisinait et maugréait contre mes armoires dégarnies (Tu manges quoi, pour l'amour du saint ciel ? Y'a rien dans ta cuisine !), je me suis appuyé sur le comptoir pour le regarder faire et tranquillement, je me suis mis à lui expliquer les grandes lignes de ce que j'ai consigné dans ce carnet. Il ne disait pas grand-chose, se contentant d'émettre un *Crisse* ou un *Estie* de temps en temps. Le monologue s'est lentement transformé en conversation qui a duré toute la soirée et une partie de la nuit. Je lui ai parlé de mon enfance en savourant les escargots au pesto, nous nous sommes rappelé nos années d'adolescence en dégustant des côtelettes d'agneau tendres et juteuses, il m'a décrit ses multiples descentes aux enfers avant et après son diagnostic pendant que nous nous gavions de mousse au chocolat. Le Grand Marnier a accompagné le récit de nos déboires amoureux et nous avons fini par nous demander ce que nous allions faire du reste de nos vies puisqu'il était maintenant entendu que ni lui ni moi n'allions nous tuer. Nous avons ensuite échafaudé les hypothèses les plus farfelues, Jean-Pierre ayant l'habitude de rêver grand, et moi me laissant emporter dans son sillage, en proie à une euphorie inhabituelle. Nous achetions une fermette ensemble et nous y produisions le meilleur fromage de chèvre bio de ce côté-ci de l'Atlantique, nous nous joignions à une communauté de moines tibétains, il écrivait un scénario de film qui était porté à l'écran par Spielberg, je devenais le nouveau J.K. Rowling, nous faisions le tour du monde à pied, nous fondions un nouveau parti politique dont le seul mandat serait de toujours dire la vérité. Le sommeil a fini par nous gagner, nous sauvant de nous-mêmes mais pas de la gueule de bois du lendemain. Jean-Pierre est reparti au bout de quelques jours et nous nous sommes promis, comme d'habitude, que nous nous donnerions des nouvelles plus souvent.

Et moi, une semaine plus tard, je m'apprête à refermer ce carnet pour de bon. J'ai le goût de vous remercier de m'avoir accompagné jusque-là, mais je sais maintenant que vous n'existez pas, que c'est à moi-même que j'écrivais depuis le début. Je me souviens qu'en commençant cette démarche, je vous avais averti de ne pas vous attacher à moi. Faut croire que je me suis fait prendre à mon propre jeu et que je me suis attaché à moi-même : ne vous inquiétez pas trop, je ne suis pas devenu prétentieux pour autant. Je me regarde juste avec un peu plus d'indulgence, constatant que comme tout être humain, je suis capable du meilleur comme du pire, et que la plupart du temps, je suis simplement et glorieusement médiocre ! Je ne sais toujours pas ce que je ferai du reste de ma vie mais pour l'instant, ça ne me dérange pas vraiment. À vrai dire, je me sens plutôt bien, pas heureux, non, le terme serait trop fort, mais juste correct. Avant-hier, après le brunch chez ma tante, j'ai quand même eu le réflexe de voler quelques somnifères, « juste au cas » que je me disais. Une fois revenu ici, j'allais les jeter, mais quelque chose m'a fait hésiter et j'ai finalement décidé de les garder. Je veux pouvoir sentir que si je suis en vie aujourd'hui, c'est parce que je le choisis, pas juste parce que je n'ai pas le moyen ou le courage de me tuer. Je ne peux pas être certain de ne plus jamais penser au suicide, mais pour le moment, j'ai encore le goût de me lever le matin et de profiter d'une autre journée. Cela me suffit. Que pourrais-je vouloir de plus ?

Le 21 juillet (en guise d'épilogue)

J'AI REÇU ce matin par la poste, directement de la librairie Chapters, le dernier tome de la série des Harry Potter, *Harry Potter and the Deathly Hallows.* Je me demandais bien qui avait pu penser à m'envoyer ça et c'est en ouvrant mon courriel plus tard que j'ai eu la réponse en deux petites lignes :

Dépêche-toi de le lire. J'ai hâte de savoir ce que tu en penses.

Julie

Collection « Azimuts »

BALVAY-HAILLOT, Nicole, *L'Enfant du Mékong.*

BARRETTE, Jean-Marc, et Hughes GERMAIN, *Le Soleil de Pierre.*

BEAULIEU, Alain J., *Deux dromadaires et un âne.*

BEAULNE, Paul, *Banc d'essai.*

BEZENÇON, Hélène, *Les Confessions d'une mangeuse de lune* (Prix littéraire Canada-Suisse 1994).

BLOUIN, Maryse, *Montcalm et moi.*

CASTILLO, Daniel, *Les Foires du Pacifique* (Prix littéraire *Le Droit* 1999).

CHAD, Pierre, *La Leçon des ténèbres.*

CHARLAND, Jean-Pierre, *La Souris et le rat.*

CHERY, Romel, *L'Adieu aux étoiles.*

CHICOINE, Francine, *Le Tailleur de confettis.*

CLAER, José, *Les Nymphéas s'endorment à cinq heures.*

CLAER, José, *Nue, un dimanche de pluie.*

DA, Daniel, *Une balle (à peine) perdue.*

DENYS, Marie-Claude, *Des marelles au fond des yeux.*

DURAND, Frédérick, *Comme un goût d'aurore sur une idée fixe.*

DESMARAIS, Gilles, *Le Grand Débarras.*

FRÉCHETTE, Michel, *La Nature humaine de Biarritz Monnier et autres détours.*

FRÉCHETTE, Michel, *Un matin tu te réveilles... t'es vieux!* (Grand Prix de la relève littéraire Archambault 2004).

GAGNON, Marie-Claude, *Je ne sais pas vivre* (Prix Jovette-Bernier 2002).

GARNIER, Eddy, *Vivre au noir en pays blanc.*

GARNIER, Eddy, *Adieu bordel, bye bye vodou.*

GRIGNON, Jean, *Identité provisoire.*

IMBERT, Patrick, *Réincarnations.*

IMBERT, Patrick, *Transit.*

LAFOND, Michel-Rémi, *Le Fils d'Abuelo.*

LAMONTAGNE, Ann, *Les Douze Pierres* (Prix Arthur-Ellis 2005).
LAMONTAGNE, Ann, *Trois jours après jamais.*
LANDRY, Denise, *Vernissage.*
LAURIER, Andrée, *L'Ajourée.*
LEROUX, Linda, *Un kaléidoscope au cœur.*
LÉVESQUE, Anne-Michèle, *Rumeurs et marées.*
LÉVESQUE, Anne-Michèle, *Fleur invitait au troisième* (Prix Arthur-Ellis 2002).
LÉVESQUE, Anne-Michèle, *Meurtres à la sauce tomate.*
MASSICOTTE, Gilles, *Liberté défendue* (Prix littéraire de l'Abitibi-Témiscamingue 1998).
MEUNIER, Sylvain, *La Dernière Enquête de Julie Juillet.*
MEUNIER, Sylvain, *Meurtre au Bon Dieu qui danse le twist.*
MEYNARD, Yves, *Un œuf d'acier.*
OLIVIER, Alain, *Le Chant des bélugas.*
PERRON, Jean, *Autoroute du soir.*
PERRON, Jean, *Le Chantier des étoiles.*
RICHARD, Bernadette, *Requiem pour la Joconde.*
SAINT-GERMAIN, Daniel, *Sept jours dans la vie de Stanley Siscoe.*
SIMARD, François-Xavier, *Milenka.*
SIMPSON, Danièle, *Solos.*
THÉBERGE, Vincent, *Francis à marée basse.*
TOURVILLE, Janine, *Des marées et des ombres.*
VAILLANCOURT, Isabel, *Rose la pie.*
VAILLANCOURT, Isabel, *Les Enfants Beaudet.*
VAILLANCOURT, Isabel, *Le Vieux Maudit.*

Réalisation des Éditions Vents d'Ouest inc., Gatineau
Impression : Imprimerie Gauvin ltée
Gatineau

Achevé d'imprimer en octobre deux mille huit

Imprimé au Québec (Canada)